een grote taak op onyx

FeH

bruna fantasy en horror 17

anton quintana

een grote taak op onyx

a. w. bruna & zoon   utrecht/antwerpen

© 1973 of this collection by A. W. Bruna & Zoon,
Utrecht/Antwerpen

© 1973 of the individual stories by Anton Quintana,
Amsterdam, Holland

omslagillustratie
Jos Looman

omslagontwerp
Dick Bruna
1973

ISBN 90 229 3516 7
D/1973/0939/195

Voor HETTY HAGEBEUK
altijd bereid een verhaal aan te horen.

inhoud

onderwereld   7

een grote taak op onyx   15

de opdracht   29

natuurlijke vijand   39

réveille   51

de overlevende   57

bloed van de condor   65

galaxyrobot   73

superman   91

piranja   99

gunstige wind   107

spiegelbeeld   117

de geweldenaar   125

na zeshonderdduizend jaar   131

het wachten   139

onderwereld

Midden op de overigens kalme zee bevond zich die ene plek, waar het water om onverklaarbare redenen al twee dagen voortdurend in heftige beroering was. Het had de aandacht getrokken van de kabeljauwvissers, en ze hadden de kustwacht gewaarschuwd die nu in een motorboot de bruisende witte plek naderde. De bemanning zag – vaag door de beweging heen – een onregelmatige zwarte vorm in de diepte. Dat moest een opening in de zeebodem zijn. De stroom van water die wervelend opsteeg uit de opening, was zo krachtig en droeg zo ver, dat de stampende boot met twee ankers vastgelegd moest worden. Het water kwam nu naar buiten, maar bij vloed zou het precies andersom zijn en dan zou een draaikolk ontstaan die de hele boot met gemak in de diepte kon zuigen.

De opening was daar nooit geweest. Een zeebeving moest hem veroorzaakt hebben, maar er was geen melding van een zeebeving binnengekomen. Onderwaterlampen werden neergelaten en fel licht scheen de opening binnen. De bodem bleef onzichtbaar; niets dan inktzwarte duisternis.

Een geheimzinnig zwart gat in de bodem van de Atlantische Oceaan, daar moesten experts bij komen.

Gezien vanaf de andere kant tekende het nieuwe gat in de zeebodem zich af als een zwarte omlijsting, waardoor een ongelofelijk licht naar binnen viel. Nooit eerder had Grugol-lk-u zoveel licht gezien.

Waar was al dat licht goed voor? Duisternis was ideaal. Had niet iedereen de nodige lichtgevende organen? Grugol-lk-u zelf verspreidde bij iedere beweging sprankjes licht. Maar het licht dat nu binnendrong was geen signaal meer, het was iets dat zijn ronde ogen verblindde. Het gat in de bodem lokte hem nu veel minder. Eerst was er een zacht-groen, getemperd schijnsel geweest, vanaf het begin van de doorbraak, en dat had hem bijzonder aangetrokken. Maar dit schrok hem af.

Hij bewoog eenmaal zijn zwarte gladde lichaam, rolde zich op zijn rug en gleed moeiteloos weg van de opening. Grugol-lk-u zwom de diepte in, die voor hem geen diepte was maar hoogte. De zwarte stroming langs zijn grote nachtogen was heerlijk koel na al dat stekende licht.

Een nieuw verschijnsel had zich voorgedaan bij de tunnel naar de onderwereld. Daar moest hij melding van maken.

Bij de poort naar het onbekende wachtte het team van Dr. Denig op dood tij. Pas dan konden ze veilig afdalen en het geheimzinnige gat in de zeebodem onderzoeken.

Toen het water bijna niet meer uit het gat stroomde, klommen Dr. Denig zelf en zijn assistent overboord in hun duikerpakken, luchtflessen op de rug. Zij waren ervaren onderwateronderzoekers, maar deze raadselachtige opening, die ineens en zonder aanleiding was ontstaan, bleef spannend.

Een hol plafond van kalksteen boog abrupt omlaag naar een inktzwarte tunnel. Ze rolden hun reddingslijnen uit en volgden deze omlaag, behoedzaam tegen de lichte stroming in. Hun sterke onderwaterlampen wierpen gele licht-kringen op de druipsteenwanden. Op twintig meter diepte verwijdde de onderwatergrot zich tot een natuurlijke rotonde. Tunnels leidden omlaag, onbekende ruimtes binnen. Geen enkele vis vertoonde zich; ook zij wantrouwden deze geheimzinnige opening.

Peilingen hadden Dr. Denig al verteld dat de diepte verder moest reiken dan twee duizend meter. Met behulp van zijn assistent liet hij nu een sterke lamp aan een lijn tot op zestig meter diepte zakken. Daar gloeide het licht in de duisternis als een glimworm. Vaag meende hij iets van een gigantisch gewelf te onderscheiden, met massieve zuilen die op stalagmieten leken. Was dat echt of illusie? Zodra zijn duikerklok arriveerde, zou hij het weten. Nu moest hij zich noodgedwongen beperken tot oppervlakkige verkenningen. Maar het veilige dode tij was voorbij; hij voelde de zuiging toenemen. Ze moesten terug, voordat de stroming te sterk werd en een draaikolk zou worden, die hen naar binnen zoog.

Het gevaar dat de uitgaande stroming opleverde, was voorbij. Grugol-lk-u draaide zich met een soepele beweging omhoog door de tunnel. Hij wilde zoveel mogelijk van het dode tij profiteren. Als het water straks weer uit het gat begon te stromen, werd het onmogelijk om er tegenin te zwemmen. En als de stroom het gat weer binnen ging, was het puur zelfmoord. Je zou onherroepelijk meegezogen worden, de onderwereld in.

Grugol-lk-u en de zijnen waren geen zelfmoordenaars. Ze namen een berekend risiko om die andere wereld te ontdekken. De wereld aan de andere kant van de opening, die ze met veel inspanning gevormd hadden; het levenswerk van drie generaties. Geen vooruitgang zonder risiko's.

Grugol-lk-u was uitverkoren om de eerste ruimtereiziger van zijn volk te zijn. Sinds ze van het bestaan van die andere ruimte afwisten – sinds hun knappe koppen hadden ontdekt dat er nóg een wereld moest bestaan, onder hun voeten, een wereld van tegenvoeters misschien – was hun wetenschappelijke nieuwsgierigheid gegroeid. Iedereen had zijn aandeel geleverd om het onderzoek mogelijk te maken. Grugol-lk-u, de eerste ruimtereiziger, drong behendig door het gat in de zeebodem omlaag en omlaag, de diepte binnen. Daar was nu weer het zachtgroene schijnsel zichtbaar, gelukkig niet die felgele lichten. Maar naarmate hij het schijnsel naderde, werd het helderder. Zijn nachtogen waren daar niet tegen bestand. Ook dat hadden de knappe koppen voorzien: hij plaatste twee doorzichtige, blauwe schelpen voor zijn ogen, onder de soepele zachtroze oogleden die zich meteen op de porseleinen schalen vastzogen. Nu kon hij in het licht kijken zonder verblind te worden. Hij zwom op zijn rug, wat geen verschil voor hem maakte, en steeg langzaam op om zijn lichaam te laten wennen aan de afnemende druk. Achter de doorzichtige schelpen keken zijn grote ronde ogen belangstellend de onbekende wereld in.

Dr. Denig wachtte vol ongeduld op de komst van zijn duikerklok, die hem in staat moest stellen in die onderzeese gewelven af te dalen. Om materieel te sparen, liet hij zolang de lampen doven.

10

Grugol-lk-u kon de onderwereld wel waarderen. Hij had de wieren en het zeegras ontdekt, de bewegelijke planten en zeesterren, en hij amuseerde zich, al vond hij ze een beetje griezelig. Ze waren zo *klein*.

In het zachtgroene halfduister bewogen de sponsachtige diepzeegewassen als het haar op zijn hoofd, daar leek het nog het meest op. Maar toen hij wat verder van het gat was weggezwommen, schrok hij hevig. Een wezentje zwom dicht langs hem heen. Als hij zijn mond niet had dichtgedaan, was het zó naar binnen gezwommen.

Toch zag hij iets vertrouwds aan het wezentje; net als hij had het lichte zijstrepen, waarmee het de kleinste trilling in het water kon opvangen. Maar de ogen waren zo gedegenereerd, gewoon eng, en die verbazend grote mond leek het hele hoofd wel te splijten. Toen, zonder zijn ogen te kunnen geloven, met een afgrijzen dat aan waanzin grensde, zag hij dat het wezentje met die belachelijke mond naar een ander, nog kleiner wezen, *hapte*... Trillingen van angst en pijn bereikten Grugol-lk-u. En toen werd het wezentje *opgeslokt*...

Wat was dit? Grugol-lk-u trilde over zijn hele lichaam en zweefde een tijdlang buiten zijn zinnen in het water. Maar als een troost, van ver, bereikten hem zelfverzekerde, vriendelijke trillingen zoals hij die kende van zijn thuiswereld. Hij gleed met lange, rollende bewegingen die kant op, reikhalzend.

Dr. Denig stond aan dek en zag in de verte de opspuitende fonteinen van een school walvissen. Als duikboten sneden ze door de golven, soms half zichtbaar.

Hij dacht aan de moedige vissers van Faeröer, die het hele jaar op deze school gewacht hadden. Daar kwamen ze dan, tonnen vet en vlees, genoeg voor het hele eiland om de lange barre winter door te komen.

Dr. Denig glimlachte, want hij was gesteld op het ruige vissersvolk van Faeröer. Hij gunde ze een rijke vangst.

Grugol-lk-u was omgeven door een zee van trillingen, een orkestratie van 'gevoelde' geluiden rond zijn weke lichaam. Dat doorstroomde hem als het ware met intense gelukzaligheid.

De wezens kwamen boven hem langs, een vloot van blinkende lichamen. Hij volgde ze in de diepte, bang dat hij ze zou verjagen als hij opsteeg. Deze wezentjes bevielen hem. Ze leken eensgezind, zo vredelievend. Hoewel ze groter waren dan alle andere wezentjes op hun weg, deden ze niets dat lelijke trillingen uitzond. Hij wilde zien waar ze heengingen.

'Walvis in zicht!'

Die schreeuw bracht de hele vissersgemeenschap van Faeröer in rep en roer. Traditie en noodzaak kwamen hier samen. Scholen liepen leeg, bedrijven sloten en boten verzamelden zich voor de haven en voeren uit.

Uren later, toen de walvissen voor iedereen in zicht kwamen, vormden de boten allang een halve cirkel die de baai afsloot. Toen de spuitende fonteinen zich tussen de boten en de haven bevonden, waar vrouwen en kinderen elkaar verdrongen, begon de vissersvloot zich te bewegen, behoedzaam naar de haven toe. En de verbaasde walvissen lieten zich langzaam opdrijven, als lammeren naar de slacht-bank.

De mannen aan boord hielden harpoenen en lange messen in hun hand. Toen de walvissen zich eenmaal in de haven bevonden, afgesneden van de zee door de rij van boten, steeg er een groot geschreeuw op . . .

De slachting duurde maar een kwartier. Toen zag de haven letterlijk rood van het bloed. De stervende walvissen, aan stukken geslagen en gestoken, stieten hun doodskreten uit.

. . . trillingen, zo verschrikkelijk, zo erbarmelijk, bereikten Grugol-lk-u in de diepte. Ver buiten het bereik van de vissers, zag hij boven zich de hele school wezentjes als het ware oplossen in een ongekende kleur.

Hij begreep niet wat er gebeurde, hij kón het niet begrijpen. De trillingen waren zo uitzinnig, zo vol pijn en angst, dat ze hem heen en weer sloegen. Hij voelde zich overgeleverd aan een verdriet dat zijn gemoed niet kon bevatten, dat hem uit elkaar leek te duwen, te vervormen.

Later kronkelde hij zich moeizaam en stijf terug naar de opening in de zeebodem. De stroom stond gunstig en hij liet zich meesleuren, zodat zijn gebeukte lichaam door het nauwe gat gleed als een draad door het oog van de naald. Hij spoelde door de tunnels, opwaarts, opwaarts, naar zijn eigen volk.

Ze zouden zijn verhaal niet kunnen geloven. Maar ze zou-den doen wat hij zei en de opening onmiddellijk afsluiten, vergrendelen met bergen zand en kalksteen, en nooit, nooit zou één van hen zich nog in de onderwereld wagen, daar zou hij wel voor zorgen.

Dr. Denig staarde uit het venster van de duikerklok en zag niets dat leek op een opening in de zeebodem.

Schijnwerpers gleden over het zeegras, de kalksteen, de sponsachtige begroeiing. Het gapende gat was verdwenen. Het felle licht werd teruggekaatst door resten slijm dat zilverachtig de rotsbodem bedekte alsof daar een gigantische zeeslang had gekropen.

Dr. Denig liet na twee wanhopige dagen het zoeken staken. Er was nu zelfs geen stroming meer bij welk getij dan ook. Er viel niets te ontdekken, daar in de diepte. Er was geen onderwereld.

een grote taak op onyx

Toen Serv werd afgedankt als astronaut, omdat hij niet langer in staat zou zijn de schepen van de Verkenningsdienst door de sterreruimten te manoeuvreren, moest hij zich instellen op een nieuw en aan de grond gebonden bestaan. Maar welke grond? Hij had de rest van zijn leven op aarde kunnen uitzitten, maar de aarde trok hem niet aan. In tegenstelling tot de aardse bewoners met hun betonnen en stalen wereld, kende hij de ongerepte groene paradijzen van het heelal. Daar ging zijn verlangen naar uit, en toen hij hoorde dat het Emigrantenschip voor Onyx het laatste ruimtestation zou aandoen, had hij de commandant zijn diensten aangeboden.

Het Emigrantenschip was zo lang onderweg geweest dat de kleuters aan boord mannen waren geworden en mannen grijsaards. Geen van hen was ooit eerder op Onyx geweest, behalve Serv. Om die reden werd hij aangenomen als gids. In die funktie maakte hij de laatste etappe van de lange overtocht mee. Maar hij voelde geen enkele band met de Emigranten. Dat waren voorbeeldige, door computers geselekteerde families, die vastberaden op Onyx een nieuwe maatschappij wilden stichten, ondanks de gevaren. Welke gevaren? had hij eerst nog argeloos gevraagd. Want zover hij zich herinnerde, was Onyx wel de meest idyllische planeet van het hele sterrenstelsel. Een groene wereld zonder roofdieren, met een ideaal klimaat. Een tuin, een lusthof.

15

'Die verdomde Afganen,' luidde het antwoord.

Afganen. Dat was de bijnaam voor de oorspronkelijke bewoners van Onyx, vanwege hun verbazende gelijkenis met Afgaanse windhonden. De Emigranten wisten natuurlijk wel dat het geen honden waren, deze langharige, slanke, lichtvoetige wezens met hun zachtmoedige ogen en onwaarschijnlijk lange neuzen; maar het waren in hun ogen toch geen mensen. Het waren Afganen. En iedereen wist dat Afganen onbetrouwbaar en gevaarlijk waren.

Vandaar dat er op initiatief van de commandant een speciale burgerwacht werd aangesteld tijdens die laatste etappe. Kontakt met de aarde was nagenoeg verbroken en de Emigranten voelden zich meer dan ooit tevoren op zichzelf aangewezen. Reken maar dat ze zich zouden handhaven daar op Onyx. De burgerwacht werd gerecruteerd uit fanatieke jongeren, 'eerste keus uit de crèche', noemde Serv dat. Jongens die nog nooit bewust iets anders hadden gezien dan de jeugdafdeling van het schip. En een praats! Serv maakte zich weinig bemind door de draak te steken met hun heilige geloof in 'de grote taak'. Hij waagde het zelfs de vraag op te roepen of de mens wel het recht had om zich een nieuwe woonplaats in het heelal te veroveren. 'Ja mensen, als je ziet wat een puinhoop we van die goeie ouwe aarde gemaakt hebben . . .' Nee, zoveel cynisme viel niet in de smaak.

Het schip daalde door de wisselende kleuren van de atmosfeer in een ademloze stilte, die alleen onderbroken werd door piepende signalen van de controle-apparatuur, en de opdoemende planeet was werkelijk indrukwekkend. Eens, in de oertijd, moest de aarde er zo hebben uitgezien, dacht Serv. En hij schudde met een grimmig lachje zijn grijze hoofd toen hij de tekst in het instruktieboek voor de Emigranten weer voor zich zag. *Gezien vanuit de lucht maakt Onyx een onvoltooide indruk. Een struktuurloze massa van heuvels, velden en rivieren, die mogelijk goud bevatten, en van vele, vele bergen. Van steden of zelfs maar woonplaatsen valt niets te bekennen, evenmin van akkers, want de oorspronkelijke bewoners weten niets af van landbouw of veeteelt; ook kennen zij het wiel niet. Zij zijn echte primitieven die uitsluitend van wilde vruchten leven.*

Nou, de Afganen zouden moeten wennen aan hun nieuwe medebewoners. Zoals het instruktieboek het subtiel uitdrukte: *Wij zijn hen vele duizenden jaren vooruit in sociale, wetenschappelijke en morele ontwikkeling.*

Na de volmaakte landing waren het de soldaten van de burgerwacht die als eerste het schip verlieten en langs het landingstalud naar beneden gleden. Ze droegen allemaal een stralingsgeweer en in hun holsters een hand-vlammenwerper. Hun helmen van plasteel blonken in het zonlicht. Serv keek naar ze en zag hun verbeten gezichten, hun waakzame ogen. *Het heelal is de mens vreemd en vaak slechtgezind en haar schepselen zijn gevarieerd en uiterst onberekenbaar, dus neem nooit enig risiko.* Wie schreef die onzin toch? Onyx was volkomen veilig geweest, maar nu liep je de kans dat een van die fanatiekelingen je in de rug zou schieten. Ze vormden een cirkel om hun commandant heen en zwaaiden hun geweren in dreigende bogen rond. Drie man plaatsten een aluminium mast en toen werd de vlag gehesen. Daarna kwamen de families naar buiten, diep

17

onder de indruk, en de commandant las de Verklaringen voor, met een stem zo plechtig alsof hij in een kathedraal stond. 'Wij wensen vooral een goede relatie tot stand te brengen met de oorspronkelijke bewoners, die wij als onze broeders beschouwen . . .' 'Tot we vaste grond onder de voeten hebben en we ze in een reservaat kunnen trappen.' Dat was de stem van Serv natuurlijk, die zijn ongevraagde mening weer niet voor zich kon houden.

Vervolgens werden onderdelen van het ruimteschip uitgebouwd tot basisverblijven zodat er eindelijk, eindelijk ruimte kwam; een afweerscherm met een omvang van drie kilometer moest opgetrokken worden om de 'broeders' buiten te houden, en wachtposten werden op strategische plaatsen uitgezet. Intussen trok een afdeling van de burgerwacht met drie jeeps de wildernis in om de dichtstbijzijnde bron aan te boren als vast waterreservoir. Pijpleidingen van onverwoestbaar materiaal werden maar meteen meegevoerd. Een redelijk begaanbaar pad leidde tussen de weelderige, geurende begroeiing door, waaruit vogels in onwaarschijnlijke kleuren verbaasd opstegen. Een klein soort olifant holde een eind voor hen uit het pad af, bleef telkens stilstaan om nieuwsgierig om te kijken, holde dan weer verder. Het was niet groter dan een pony en had zilverwitte, wijduitstaande manen. Toen de jeeps stopten bij een waterloop en hem niet langer volgden, trompetterde hij teleurgesteld.

'Zullen we hem schieten?' vroegen de soldaten.

'Later,' zei de commandant. 'Eerst het water.'

Ze gingen aan het werk, terwijl drie man op de uitkijk bleven staan. Geen van drieën zag de lichtvoetige, langharige, slanke gestalte die langzaam, nieuwsgierig dichterbij kwam tussen de begroeide stammen. Maar Serv zag hem. Die kwam zeker eens kijken waar zijn olifantje bleef. Omdat hij wist dat de Afgaan elk moment weer zou kunnen weghollen, riep hij naar de anderen: 'Kijk eens. We hebben bezoek.'

De mannen hielden op met werken en zagen nog net een schim verdwijnen in de groene schaduwen van het bos. De commandant vroeg: 'Wat was het?'

'Een Afgaan,' zei Serv. 'We hebben zijn olifantje van hem weggelokt, die houden ze als een soort huisdieren. Van de manen maken ze een soort wol die ze nodig hebben om bepaalde plantesappen te filtreren.'

'Waarom gebruiken ze daar hun eigen vacht niet voor?'

'Zou jij je eigen haar gebruiken om er wol van te maken?' De soldaat zei nors: 'Dat is wat anders.' Hij hield niet van dat soort humor.

Later, toen de pijpleiding gelegd was en het water naar de basis werd gepompt door een zuigerinstallatie, gaf de commandant Serv opdracht om 'zo'n malle olifant' te schieten. 'Als ze tenminste eetbaar zijn.'

'O ja. En lekker zijn ze ook. Kan ik dan een jeep meekrijgen, want ik moet een eind het bos in.'

'Waarom? D'r loopt er een op het pad hier vlakbij.'

Serv keek de commandant aan. 'Da's een tamme,' zei hij. 'In het bos lopen hele kuddes wilde rond.'

'We verspillen geen materiaal aan dat soort onzin. Schiet dat beest en zorg dat het hier is voordat we het scherm sluiten.'

Serv had maar te gehoorzamen. Hij keerde met twee man

terug over het pad. Achter hem vervaagden de opgewekte stemmen van de Emigranten die hun voorlopige onderkomens bijna opgezet hadden. Drie man van de burgerwacht kwamen hem achterop. 'We mogen mee. Zo'n gek beest willen we ook wel eens zien.' Dus liepen ze daar met z'n zessen om een huisdier te schieten.

Hoe het precies in zijn werk ging zou Serv nooit weten. De achterste soldaat schrok van een lawaaierige vogel en schietgraag als hij was, stond hij meteen met zijn geweer in de aanslag. En juist op dat ongelukkige moment kwam een groep Afganen langshollen. Met grote sierlijke spronge staken ze een open plek over, hun zijdeachtige lange haren wapperend, hun silhouetten een en al beweging tegen de achtergrond van de schemerige stammen.

De geschrokken soldaat opende het vuur. Meteen volgden de anderen zijn voorbeeld. De stralen flitsten door de groene schaduwen en maakten van iedere sierlijke sprong een droevige buiteling. De stank van verschroeide haren waaide hen tegemoet. Serv stond verbijsterd te kijken. Een paar schimmen hinkten en strompelden haastig weg tussen de donkere bomen, maar de meeste bleven stuiptrekkend liggen.

'Jullie rotzakken!' schreeuwde Serv tegen de soldaten. 'Waar is dat goed voor?'

'Maak niet zo'n drukte, ouwe. Een vergissing. We dachten dat we aangevallen werden.'

Aangevallen door Afganen! Je kon gaan liggen slapen, midden in het bos, en ze zouden voorzichtig over je heen stappen . . . Aangevallen door Afganen! Terwijl Serv sprakeloos zijn hoofd schudde, trillend van woede, daalde uit

20

de hemel een net over hen neer. Een net van gevlochten gras, wijd als de hemel zelf. Het kwam geruisloos uit de boomtoppen vallen en werd over de bosgrond dichtgetrokken, zodat hun armen tegen hun lichamen gesnoerd werden. De geweren bleken nu nutteloos. Ze konden zich niet bevrijden, hun vlammenwerpers niet grijpen, niet opstaan, want het net werd met grote vaart over de grond voortgesleept.

'Als ze ons zó in het water kieperen,' dacht Serv, 'hebben ze nog gelijk ook.'

Maar ze werden niet verdronken, ze werden over de weke bosgrond verder gesleept, heuvels op en af, en tenslotte een diepe vallei binnen. Ze waren machteloos; met hun zessen vormden ze één kluwen van vastgesnoerde armen en benen. Soms ving Serv een glimp van de voorthollende Afganen op, hun ranke lichamen gebogen door de weerstand van dat volle, zware net. Wat een vangst: zes mannen van de aarde!

Eindelijk vertraagden de Afganen hun vliegende vaart en konden de mannen weer wat op adem komen. Ze werden nu door een onafzienbaar veld van violette bloemen gesleept, die knakten onder hun gewicht. Nu konden ze hun armen weer een beetje vrij maken, hun handen, vingers, maar aan hun wapens kwamen ze niet toe. Uit de vele geknakte bloemen steeg een zoete, bedwelmende geur op. Letterlijk bedwelmend . . . Serv voelde nog dat ze niet langer werden voortgetrokken. Vaag meende hij de Afganen met wonderlijke sprongen dichterbij te zien komen. Maar een violette golf speelde over hem heen en hij ging onder, en onder . . .

De zon op zijn gesloten ogen wekte Serv. Hij voelde de harde, taaie strengen van het net onder zijn lichaam en rolde zich om. De anderen bewogen zich nu ook, nog suf en duizelig. Het bloemenveld lag roerloos om hen heen, maar de nachtwind moest de bedwelmende geur verwaaid hebben. De Afganen hadden hen geen kwaad gedaan. Serv verbaasde zich daarover.

'Ik mag doodvallen. We hebben gemaft als ossen.'

'Kijk eens, onze geweren ... we hebben ze nog. En die griezels zijn verdwenen!'

Zwijgend tikte Serv de man op zijn schouder, waarna hij in de verte wees. Daar, op een hoge heuvel, zat een grote menigte Afganen heel stil naar ze te kijken. Nog nooit had hij zoveel van die wezens bij elkaar gezien. Het was een verbazend en ook angstaanjagend gezicht. Duizenden Afganen hadden zich daar verzameld, zonder iets te doen, zonder geluid te maken.

'Mijn God, die gaan ons vermoorden!'

'Het zijn geen mensen,' zei Serv bitter. Hij stond moeizaam op.

'Waar wachten ze op?'

'Waar wachten wij op?'

Ze namen hun stralingsgeweren op en volgden hem door het veld.

'Breek zo weinig mogelijk stengels, anders liggen we zó weer op apegapen.'

'Denk je dat ze ons gewoon laten gaan?' fluisterde een soldaat achter hem.

'Misschien zijn ze zo gek.'

De stilte was verpletterend. Hij begreep het niet. Wat

bracht de Afganen ertoe zich te verzamelen? Ze leefden niet in groepen, zelfs niet in families. Iedere volwassen Afgaan ging liefst zijn eigen weg. En nu waren er duizenden bij elkaar gekomen. Hadden ze zich verenigd om met man en macht hun grond te verdedigen? Maar in dat geval zouden ze gevangen vijanden toch niet vrijuit laten gaan. Mét behoud van hun moordwapens!

Het hoge gras knerpte tegen zijn broekspijpen en dat ergerde hem ineens. Het bange hijgen van de jonge soldaat achter hem werkte op zijn zenuwen. Hij liep onwillekeurig sneller. Waarom waren ze vrijgelaten? Wat zat erachter?

Zouden de Afganen met hun vrijlating zoiets als een vredesvoorstel bedoelen? Hij keek om en zag op de heuvels de menigte als één man in beweging komen.

'Godallemachtig, ze volgen ons!'

Met soepele sprongen bewogen de Afganen zich over de heuvelkam, goudachtige gedaantes tegen het vroege zonlicht. Ze konden de gids en de soldaten gemakkelijk bijhouden en plukten intussen vruchten uit de struiken.

Een wolk van pastelkleurige vlinders steeg op uit het gras bij iedere stap van de vluchtende mannen. Serv stond stil. 'Wat hoor ik toch?'

Een wonderlijk gefladder, geritsel, gedwarrel, als van ontelbare vogels . . . De soldaten keken elkaar aan.

'Ik mag doodvallen! Het zijn die vlinders! Ik hoor die vlinders!'

'Dat lijkt me sterk, maar je hoeft niet zo te schreeuwen!'

'Je schreeuwt zelf. Ik schreeuw niet.'

'Koppen dicht en doorlopen,' siste Serv. Zijn oren deden pijn van die vreemde geluiden en hij zag dat het met de

23

anderen net zo was. De vlinders verdwenen, streken achter hen in het gras neer.

'Die verdomde Afganen volgen ons nog steeds.'

'Ze bijten niet. Doorlopen.'

Waarom waren ze vrijgelaten? Hij begreep het nog steeds niet. Toen ze in dat net werden meegesleept, leek het einde in zicht. En nu . . . De vallei lag al bijna achter hen, maar ze waren nog diep onder de indruk want ze liepen allemaal te fluisteren. Serv kon wel vloeken. De vlinders zaten hem dwars. De opstekende wind, nauwelijks meer dan een bries, vulde zijn oren met een geloei als van een orkaan. Dat woelde diepe irritatie in hem los. Een vogel floot vlakbij en onwillekeurig kromp hij ineen. Hoe kon vogelgefluit hem zo ergeren? Ineens vond hij het belachelijk dat de mannen nog steeds tegen elkaar liepen te fluisteren . . .

De eerste, nog verre krakende donderslagen van een voorbijdrijvend onweer kwamen uit de verte aanrollen met een onheilspellend geknetter en gerommel en ploften in zijn oren met een wereldvullende knal uiteen. Hij sloeg beide handen tegen zijn oren en schreeuwde, en de anderen deden hetzelfde. Bij de volgende donderslagen begonnen ze te hollen. Serv botste tegen een van de soldaten op en in een panische reaktie sloeg de man als een razende van zich af. Ze holden in een kring rond, gillend terwijl het onweer dichterbij kwam, en Serv deed mee. Ook hij gilde en hij kon er niet mee ophouden. Het leek wel alsof een oceaan zich brullend door zijn oren naar binnen stortte . . . alsof een branding tegen zijn trommelvliezen beukte . . . Hij voelde dat hij door het lawaai buiten zichzelf zou raken, dat hij gek werd . . . Als twee mannen elkaar in de weg liepen, dan sloegen ze blindelings van zich af, en een soldaat schoot zijn geweer leeg in de purperen lucht . . .

Toen dreef het onweer voorbij, het gerommel stierf weg; in een ommezien werd de hemel weer helder. De mannen lagen met hun handen tegen hun oren gedrukt, hun gezichten begraven in de grond, en huilden onbedaarlijk – alsof de regen uit hun ogen moest komen in plaats van uit de hemel. En vanaf de heuvel keken de wachtende Afganen zwijgend toe.

De grijze gids en de vijf soldaten verschenen voor het afweerscherm en bleven daar wachten tot de commandant op de aluminium uitkijktoren verscheen. De vijf soldaten omringden de gids alsof ze bang waren dat hij er vandoor zou gaan. Op de achtergrond vormden de Afganen een dichte haag.

'Schakel de stroom uit,' beval de commandant. 'Hou die verdomde Afganen goed in de gaten, ze zijn snel.'

Op het signaal 'veilig' passeerden de soldaten als één man het scherm, de gids in hun midden . . . Meteen werd de stroom weer ingeschakeld.

'Wat heeft dit te betekenen, mannen?'

'Commandant, de soldaten kunnen u niet horen. Hun oren zitten dichtgestopt met klei. Ik zal u alles uitleggen . . .'

Maar daar was geen tijd meer voor, want de menigte Afganen kwam golvend over het veld aanspringen en begon vlakbij het scherm een oorverdovend lawaai te maken. Langgerekt schril gekrijs en rauw gegil steeg op uit duizenden kelen en voor de verbijsterde ogen van de commandant begon Serv met zijn hoofd te schudden en om zich heen te slaan. Maar de vijf soldaten wierpen zich op hem, grepen hem vast en sleepten hem haastig mee. De oude man verzette zich als een bezetene, huilend en tandenknarsend, een erbarmelijk gezicht. Intussen was de burgerwacht in aktie gekomen: stralingsgeweren en vlammenwerpers bestookten de krijsende menigte, die zich haastig terugtrok en in de omliggende heuvels leek op te lossen. De stilte keerde terug. Voorlopig.

Serv leek jaren ouder te zijn geworden. Zijn ingevallen gezicht beefde soms en zijn oogopslag was schichtig. Nu stond hij voor de commandant en achter hem stonden de vijf jonge soldaten. Een ingrijpende doktersbehandeling had hun gehoor nog kunnen redden.
'Hoe kwam je erachter?' wilde de commandant weten.
'Door dat onweer. Terwijl we bewusteloos waren, moeten ze iets met onze oren gedaan hebben. Daardoor was ons gehoor verscherpt en konden we niet meer tegen harde geluiden.'
'Het doktersrapport zegt dat de gehoorgangen zijn aangetast door een onbekend plantaardig preparaat, dat op de zenuwen werkt . . .'
'Zoiets vermoedde ik dus.' Een lachje schokte over het ingevallen gezicht. 'Echt iets voor die Afganen. Ze lieten ons teruggaan en zèlf zouden we voor de rest zorgen . . . als een soort menselijke bom. Zodra we binnen waren, hoefden zij alleen maar een hoop lawaai te maken, dan zouden wij ontploffen. Met onze geweren hadden we hier behoorlijk amok kunnen maken. Waren de Afganen zonder vuile

handen van ons afgeweest.' Weer dat lachje. 'Maar ze had-den pech. Door dat onweer kwamen we er bijtijds achter, dat we kompleet gek werden van lawaai.'

De commandant knikte. 'Jullie zouden inderdaad een groot gevaar voor de basis gevormd hebben. Een doeltreffende verdediging zou onmogelijk geworden zijn . . .'

Hij sprak verder over de talloze gevaren die 'de grote taak' bedreigden, maar Serv luisterde al niet meer. Langs de commandant heen tuurde hij dromerig uit het raam. Daar, waar pas geleden nog een groene heuvel was geweest, zag de grond nu zwartgeblakerd door vlammenwerpers. De aluminium schutterspoorten stonden dreigend langs het scherm en wat verderop werd een greppel gegraven om een mogelijke bestorming moeilijker te maken. Hij dacht, ik zal in meer opzichten gelijk krijgen.

'Dat zal ik die stinkende Afganen aan het verstand brengen dat we niet met ons laten spotten,' hoorde hij de comman-dant zeggen. 'Anders zouden ze ons binnen een maand on-der de voet lopen, als we ze de kans gaven.'

Serv dacht, dit wordt een tweede aarde. Maar ik hoef er geen getuige van te zijn. De 'grote taak' is niets voor mij. Ik zal in een van de bossen een hut bouwen en net als de Afganen gaan leven. Ik heb het wel gezien. Zijn gezicht schokte weer.

'Jullie kunnen nu wel gaan,' zei de commandant. 'En jij, Serv, neem jij maar een tijdje rust.'

'Zeker commandant. Ik vraag permissie de basis te ver-laten.'

'Toegestaan. Als je maar terug bent vóór het scherm wordt gesloten. En blijf uitkijken, kerel.'

Ook de groene heuvels zouden tenslotte veranderen in asfalt en beton. Maar zijn tijd zou het nog wel duren. Mocht een oude man zijn rust zoeken waar hij zelf wilde? Daar, in de groene heuvels . . .

de opdracht

De vliegende schotel zeilde over de verkeersweg en iedereen die het ding zag, bedacht een ingewikkelder verklaring dan nodig was. Het lag immers voor de hand dat het gewoon een vliegende schotel was, afkomstig van een andere planeet. Een automobilist zei tegen zijn vrouw: 'Een leuke manier om reklame te maken, maar wel gevaarlijk, zo boven de openbare weg.'
'Waar maken ze dan reklame voor?' vroeg zijn vrouw.
'Weet ik veel,' zei de automobilist, en reed verder.
Een vrachtrijder zei tegen zijn maat: 'Kijk nou es! Die snotneuzen van tegenwoordig krijgen veel te veel zakgeld. Al dat technische speelgoed kost kapitalen.'
En een fietser stopte en zei tegen een wandelaar: 'Ziet u dat? Zou dat nou een vliegende schotel zijn?'
'Haha, die meneer! U werkt zeker voor dat programma Poets, hè? Ja ja, van de teevee. Nou, ik vlieg er niet in, hoor. Vliegende schotels bestaan niet.'
Intussen zweefde het ding dat niet bestond ongehinderd verder over de weilanden (door grote teleskopen vanaf de planeet Venus over een afstand van miljoenen kilometers waargenomen, terwijl honderden instrumenten voldoende gegevens verzamelden om de juiste landingsplaats te selekteren) en op het weiland van boer Vink maakte de schotel een zachte landing.
Boer Vink pikte het niet dat die nieuwlichters van het nabij-

gelegen militaire oefenkamp hun schroot op zijn weiland dumpten. Wat ze tegenwoordig al niet afschoten! Kijk nou dat rare ronde ding . . . Komt pardoes uit de lucht midden tussen zijn koeien vallen, een mirakel dat er niet een geraakt werd . . . Woedend beende boer Vink over zijn weiland naar dat blinkende projektiel toe. Zijn oude knecht hinkte nieuwsgierig achter hem aan.

De schotel was van een of ander blinkend metaal, had een doorsnede van twee meter en in het midden bevond zich een soort glazen bol, waarin een gele vloeistof borrelde.

'’t Is krek een spiegelei,’ zei de knecht.

De gele vloeistof leek langzaam dikker te worden. Het deed de twee mannen denken aan melk, die in boter veranderde. De boter stremde tot een ronde kaas en toen nam dat Edammertje de vorm aan van een menselijk hoofd. Een blozend gezicht keek de boer en zijn knecht nietszeggend aan. (De Venusiaanse geleerden hadden hun best gedaan om een gedaanteverwisseling te bewerkstelligen die zoveel mogelijk zou lijken op het gezicht van een aardling, zoals de tele-camera's dat hadden vastgesteld. Maar zoiets lelijks eiste eigenlijk teveel van de verfijnde smaak van de Venusianen.) Het 'gezicht' onder de glazen stolp kreeg het nakijken, want boer Vink en zijn knecht gingen er vandoor, waarbij ze die lachwekkende keelklanken maakten waarmee de aardlingen kommuniceerden. (Een nogal omslachtige methode in de ogen van de Venusianen, die via telepathie met elkaar in verbinding stonden.)

Een tijdlang gebeurde er niets, behalve dat de vloeistof in de bol kleurloos werd en steeds zwakker borrelde. De

grote, glanzende ogen kregen een verwachtingsvolle uitdrukking. Toen keerden boer Vink en zijn knecht terug,
gevolgd door twee ongelovige mannen van de rijkspolitie.
Opperwachtmeester Nieuwkerk zag een vliegende schotel
van twee meter doorsnede, met in het midden een glazen
bol waarin zo te zien een hoofd op sterk water stond. Van
een lichaam kon hij niets onderscheiden. (Dat zou teveel
zijn geëist van de Venusianen.) Twee onnozele ogen keken
Nieuwkerk afwachtend aan. Nu was Nieuwkerk niet voor
niets opperwachtmeester geworden. Hij begreep onmiddellijk dat dit ding in géén geval een vliegende schotel was.
Daar leek het teveel op, dus dat was ongetwijfeld mis-
leiding. Maar dat hoofd. Het was onmiskenbaar een hoofd.
Opperwachtmeester Nieuwkerk keek wachtmeester Schippers maar eens aan. Schippers was weliswaar lager in
rang, maar je kon niet weten of hij misschien een zinnig
idee had. Dus zei Nieuwkerk veelbetekenend: 'Nou
nou . . .' en toen Schippers wijselijk zweeg, zei hij nog eens
met méér nadruk: Nou, nou . . .' En ineens – terwijl hij
zich afkeerde van het gezicht met de onnozele ogen –
herinnerde Schippers zich dat Nieuwkerk hem dat jaar in
rang gepasseerd was, en letwel, onterecht! Vriendjespoli-
tiek natuurlijk, kruiwagendienst, ellebogenwerk . . . En hij
schreeuwde met overslaande stem: 'Jij korrupte hielen-
likker! Wou je mij de les lezen? Wat moet je met dat stomme nou-nou van je?'
Opperwachtmeester Nieuwkerk was helemaal niet verbaasd
dat die anders zo zachtmoedige wachtmeester Schippers
nu ineens zo vijandig deed. Hij had altijd wel gedacht –
schoot hem nu te binnen – dat achter zo'n gedienstig uiter-

lijk een vals en wrokkig karakter moest schuilgaan. Dus riep hij met een rood hoofd terug: 'Jij achterend van een koe! Omdat je te stom bent om bevorderd te worden, moet je niet denken dat . . .'

'Wat gaan we nou krijgen?' vroeg boer Vink stomverbaasd aan zijn knecht. De manke oude man spuwde zijn pruimtabak precies op de witgeschuurde klompen van boer Vink en krijste: 'Jij varkenskop! Mot je zonodig een elektrieke melkmachien kopen terwijl de beesten d'r als de dood voor benne!'

Nu was boer Vink een man van weinig woorden. Hij trok zijn besmeurde klomp uit en begon ermee te meppen. Toevallig zag de meid dat vanaf het erf gebeuren en omdat ze de dochter van de oude knecht was, greep ze woedend een riek . . . De boerin wilde tussenbeide komen, maar ja, uitschelden liet ze zich niet, zeker niet door zo'n luie, diefachtige, stompzinnige roddelaarster van een meid! Dus riep ze haar zoon te hulp. Nu herinnerde de zoon zich ineens pijnlijk scherp dat de meid hem drie jaar geleden een blauwtje had laten lopen omdat ze liever ging trouwen met de schipper van een baggerschuit, en zijn handen begonnen meteen te jeuken. Het toeval wilde dat de schipper op dat moment het erf op kwam lopen, in gezelschap van twee stevige maats, gewoon voor een visite omdat ze in de buurt aan een karwei begonnen waren. Maar hij liet zich toch zeker niet de broek stukbijten door een opgejutte kettinghond! Of die gillende kapsones-boerin nou al d'r buren erbij haalde, dat maakte mooi geen ene moer verschil, hij zou d'r wel es effe mores leren . . .

Een half uur later werd er op het weiland, rondom de

metalen schotel met het verbaasde hoofd, door zeker zo'n twintig man gevochten. Niet alleen door boeren, baggeraars en vrouwvolk, maar ook een passerende ketellapper en een postbode raakten erbij betrokken, en tot hun grote schande, twee kapelaans die op huisbezoek kwamen. En wat nog het ergste was, twee ambtenaren van de rijkspolitie – die de orde juist moesten handhaven – waren met de handtastelijkheden begonnen en ze dachten nog steeds niet aan ophouden. Het leek wel alsof niemand bij zijn verstand bleef; iedereen die langskwam, koesterde blijkbaar wel een oude wrok en ging meteen op de vuist . . . Intussen stond de schotel mooi in het gedrang en onder de glazen stolp zag het gezicht verbaasd al dat tumult aan. De bus die om drie uur over de dijk kwam, stopte en de chauffeur probeerde de vechtenden te scheiden. Even later, alsof hij besmet raakte, lag hij ook te rollen, nota bene met de gasmeter die zelf ook de orde had willen herstellen. En de buspassagiers raakten het oneens over elkaars goede bedoelingen en tuimelden scheldend en vloekend naar buiten . . .

Het hoofdbureau van politie werd gebeld door iemand, die wegholde zonder het gesprek af te maken. 'Wat durf jij daar te beweren, kaaskop!' was het laatste wat de dienstdoende agent hoorde. Vijf jeeps vol agenten rukten uit en toen er binnen een uur niet gemeld werd dat de orde was hersteld, ging de commissaris zelf kijken. Tot zijn stomme verbazing trof hij zijn anders zo gedisciplineerde mannen aan achter een haastig opgeworpen barricade van naar buiten gesleepte meubelen, terwijl ze hun pistolen leegschoten – op elkaar. De commissaris zag kans in een overvalwagen door te dringen tot in het heetst van de strijd, maar zijn stem door de luidspreker brak af. Hij ving, één tel voor de overvalwagen door een woedende menigte gekanteld werd, een glimp op van een vreemd voorwerp, een soort schotel met in het midden een hoofd . . . Dat hoofd beviel de commissaris helemaal niet; daar lag vast een sluipschutter in hinderlaag – zoals tijdens het verzet. Deksels! hij herinnerde zich die tijd ineens weer haarscherp! dat waren spannende dagen! – en hij gaf opdracht het snelvuur te openen op dat verdachte hoofd. De kogels ketsten af op de bol van onbreekbaar glas, waarin het gezicht verbaasd en verwachtingsvol bleef kijken. Waar de kogels gaten in het blinkende metaal sloegen, groeiden die in een ommezien weer dicht. Niet dat iemand dit technische wonder zag gebeuren, daar hadden ze het allemaal te druk voor. De weide was veranderd in een slagveld, de sloten waren nu loopgraven, de brandende hooibergen verlichtten tegen het vallen van de avond niet alleen de honderden vechtenden, maar trokken ook van heinde en ver belangstellenden, die ook niet werkeloos bleven toezien. Wat zo klein en plaatselijk was begonnen, verspreidde zich op een verrassende en verschrikkelijke manier, als een besmettelijke ziekte. Burgemeesters riepen de hulp in van de marechaussee. Toen kwam het breekpunt, want dit keurkorps van militaire rijkspolitie zou zeker de openbare veiligheid dienen, maar nee, ook de marechaussee's raakten onderling slaags, zodra ze de plaats van het onheil bereikten. Dat was zonder meer het begin van een burgeroorlog. Een acceleratie van gebeurtenissen volgde. Vitale gezagslichamen bleken ineens niet meer te werken en complete chaos was het resultaat. Het leger kwam erbij, maar binnen een halve dag werd er zelfs op het Ministerie van Defensie onder het personeel gevochten. De nieuwsmedia konden de verontruste regering niet behoorlijk op de hoogte houden, want televisiereporters en dagbladjournalisten stonden elkaar naar het leven en iedere waarnemer vergat rapport uit te brengen aan zijn opdrachtgever. Gemeenteraadsleden sloegen elkaar om de oren en de commissarissen van de koningin zaten nog geen tien tellen in spoedvergadering of het was al mis ... De besmetting greep in steeds wijder kringen om zich heen. Intussen rukte peloton na peloton op naar de haard van alle onrust, waar de agressie alleen maar leek te groeien door de continue aanvoer van mankracht. En midden in het hart van het strijdgewoel stond nog steeds dat blinkende speelgoed, die reklamestunt, de nietbestaande vliegende schotel, met in een glazen bol zo te zien een menselijk hoofd op sterk water. Het weiland was onherkenbaar, de boerderijen waren tot ver in de omtrek gebombardeerd; maar de onnozele ogen keken nog altijd even verbaasd en verwachtingsvol.

Buitenlandse mogendheden die hun politieke en economische belangen veilig wilden stellen, bemoeiden zich ermee. NATO-troepen marcheerden binnen om de orde te herstellen. Steeds méér troepen marcheerden binnen. De Sovjet Unie en de Verenigde Staten misgunden elkaar iedere inmenging en begonnen elkaar te bedreigen. Volkomen onverwacht ontbrandde de wereldoorlog ...

Wat op aarde niemand zag gebeuren, werd door grote teleskopen op Venus over miljoenen kilometers waargenomen: in de glazen bol begon de vloeistof weer te borrelen en te verkleuren. Het hoofd loste op en werd iets dat op een Edammer kaas leek. Toen was er alleen nog de gele vloeistof. De metalen schotel begon te trillen en kwam in beweging, eerst langzaam, toen sneller, en zeilde ongehinderd weg over de verwoesting. Boven het deels overstroomde, deels geblakerde gebied dat eens Holland was, zweefde de schotel, steeds hoger. (En het instrument dat het teleradiokontakt met de vliegende schotel onderhield, spuwde op Venus een metalen strookje uit, waarop in code stond vermeld: OPDRACHT OP PLANEET AARDE VOLBRACHT.)

Before him was the sky,
and passing wings.

G. DRESBACH

natuurlijke vijand

Zoals op de meeste winterochtenden waren het alleen meeuwen die boven het vliegveld zwermden.

De valk dook opeens op, glanzend in de rode schittering van de zon, en meteen raakten de meeuwen in paniek. Ze gingen snel hoger vliegen om de valk te ontwijken en hun witte kleur vervloeide met die van de lucht. Zo werden ze onzichtbaar voor het oog van de mens, maar niet voor dat van de valk. Die spiraalde doelbewust en snel omhoog tot hij zich boven de meeuwen bevond, zwart en strakomlijnd. Hij beschreef zijn dreigende cirkel, terwijl het gekrijs van de angstige vogels neerdaalde door de regensluiers. De valk wachtte even en dook toen naar beneden. Hij miste en zwenkte terwijl hij langs de zwerm heensuisde, vloog toen onder de vluchtende meeuwen door en verhief zich weer. Een paar tellen later kliefde hij opnieuw de lucht en de bedreigde vogels lieten zich schreeuwend en sidderend opzij vallen, wendend en kerend om aan zijn reikende klauwen te ontkomen.

Toen de valk voor de tweede keer er niet in slaagde een prooi te grijpen, leek hij even te aarzelen. Daarna liet hij zich afglijden, heel sloom en op zijn gemak, en de meeuwen verdwenen ongehinderd achter de heuvels om voorlopig niet meer terug te keren boven de landingsbanen. De valk daalde af naar het vliegveld en kwam snel op de valkenier aanvliegen, die tussen de hangars stond en een langgerekt fluitje liet horen terwijl hij de loer langzaam rondzwaaide. De kleumende monteurs, die nieuwsgierig van een afstandje toekeken, konden het imponerende geluid van zijn vleugels horen, het doorbuigen van de grote slagpennen zien, toen de valk suizend op de loer neerdook. Daarna lokte de grijze valkenier de vogel met een stukje vlees op zijn vuist. De valk schonk geen aandacht aan de monteurs, nam het brokje rundvlees in één klauw en begon er aan te rukken met zijn scherpe snavel. De valkenier glimlachte trots tegen de monteurs.

'Of hij iets slaat of niet, hij geeft in elk geval een mooie voorstelling weg, hè?'

De monteurs knikten sprakeloos. Vooral het neerduiken op de loer had indruk op ze gemaakt. Ze waren er de kou door vergeten. Voorzichtig kwamen ze wat dichterbij om de valk beter te kunnen bekijken, die even argwanend opkeek en zijn snavel opensperde met een zacht gesis.

De valkenier kalmeerde hem en de vogel begon weer te eten en pikte daarna de kleine stukjes vlees op, die aan zijn tenen en op de handschoen kleefden. 'Hij mist ervaring,' legde de oude man uit, terwijl hij met zijn vrije hand de prismakijker, waardoor hij de mislukte jacht gevolgd had, in de draagtas liet terugglijden. 'Hij blijft nog te dicht achter ze. Hij wil maar het liefst recht boven ze komen en dan zo hard toestoten als hij kan. Maar dan ontwijken ze hem op het laatste moment, want het zijn gladde vogels hoor. En dan moet hij eerst een doorgang doen en weer helemaal optrekken voor de volgende stoot. Als hij meer ervaring had, hield hij meer hoogte. Maar dat leert hij ook nog wel.'

De monteurs luisterden naar de valkenier zonder er veel

van te begrijpen. Ze hadden in de lucht niet meer dan wat stippen gezien. Dat de valk die daar zo tam op de vuist zat, een heel ander dier was dan de roofvogel die meeuwen achtervolgde, drong niet tot hen door. Zijn formaat viel hen tegen. Door de grote donkere ogen in zijn kleine afgeronde kop zag de valk er dom en verbaasd uit. Zijn borst was groezelig wit, met saaie grijze dwarsstrepen. Met zijn puntige blauwzwarte vleugels dichtgevouwen, leek de vogel niets bijzonders. Alleen zijn haakvormige bek en dikke gespierde poten maakten een barbaarse indruk.

'Is dat nou die vogel waar de kranten over schreven?' wilde een van de monteurs weten. 'Die met een Arabische naam?' De valkenier knikte. 'Bahari,' zei hij.

De valk zat op de handschoen en streek zijn veren glad met zijn bek, en daarna, zijn lange vleugels gekruist, bleef hij geduldig wachten. Zijn donkere ogen namen elke beweging op, van de mannen dichtbij die in hun koude handen bliezen, en van de monteurs bij de machines op het veld. Hij wist vaag dat zijn naam Bahari luidde, maar daar bleef het bij. Iedereen die iets met het vliegveld te maken had, was trots op hem maar dat viel buiten zijn bevattingsvermogen. 'Een jachtvliegertje, maat,' zeiden de piloten tegen elkaar en knipoogden. 'Pikt ze uit zodra ze de lucht ingaan en grijpt ze zonder pardon, al zijn ze tweemaal groter dan hij.'

En de kranten beweerden: 'Eens was de valk een geliefde gast op adellijke jachtpartijen, maar nu wordt hij getraind om vliegtuigen veilig aan de grond te brengen . . .'

Dat was een beetje overdreven. Waar het om ging was dat valken sinds kort werden ingezet om vogels te weren van de vliegvelden. Ze vielen de spreeuwen, duiven, meeuwen

41

en roeken aan, die een gevaar vormden voor de veiligheid van de vliegtuigen. Die vogels konden gemakkelijk in de motoren raken, met alle rampzalige gevolgen van dien. Er was berekend dat de schade, aangericht door vogels op vliegvelden, per jaar meer dan een miljard dollar bedroeg. Men had al verschillende systemen bestudeerd om de vogels weg te krijgen. De enig werkelijk doeltreffende methode was natuurlijk vergif; maar in een tijd waarin er toch zoveel vogelsoorten uitstierven, was het belangrijk om met zo min mogelijk gedode vogels een zo groot mogelijke veiligheid te verwerven. De eerste proeven met valken dateerden al van 1947, maar liepen toen op niets uit. Nu was men opnieuw gestart, na een ongeluk door vogels veroorzaakt, dat in Engeland aan 47 mensen het leven had gekost.

Een van de grote moeilijkheden was om de valken aan het lawaai van de vliegtuigen te wennen. Lukte dat eenmaal en zagen de valken kans om genoeg slachtoffers onder de vogels te maken, dan zouden de andere weten dat dit gebied onveilig werd gemaakt door een natuurlijke vijand en van lieverlee wegblijven. Van de kant van de natuurbescherming kwamen enthousiaste reacties, want in het jaar voorafgaande aan de proefnemingen waren er ongeveer vierduizend dode vogels geteld op één vliegveld.

Valkeniers waren van ver gekomen met hun vogels: buizerds, kiekendieven, haviken, valken, zelfs adelaars. Maar Bahari was de enige die het helemaal begrepen leek te hebben, en bezorgde daarmee zijn baas een goedbetaalde baan op het vliegveld. Bahari vloog nooit te ver weg, maar pauzeerde telkens, om iedere nieuwe troep vogels die hij zag te achtervolgen. Het waren vaak geen serieuze aanvallen, hij was niet echt op jacht; het was meer alsof hij ze alleen maar voor zijn genoegen achterna zat. Roeken, kieviten, meeuwen en spreeuwen werden uiteen gedreven, opgejaagd en volkomen in paniek gebracht. Soms wemelde de lucht van rumoerige vogels en dan, na een plotselinge snelle aanval van Bahari, was de hemel gezuiverd. Zoals nu, in de vroege ochtend, terwijl de zon rood door de slierten nevel heendrong. Het vliegveld zag wit van rijp, en die rijp zette zich ook af op de aluminium machines; alleen een klein éénmotorig toestel taxiede over de langdingsbaan en schitterde in het vroege licht.

De valk draaaide rond op de gehandschoende vuist om het vliegtuigje te kunnen zien. De kleine bel aan het riempje om zijn poot rinkelde. Toen sloeg de motor af en het toestel maakte een draai en stond stil. De valk keerde het de rug toe, spreidde zijn vleugels enigszins en keek naar de monteurs die met zijn baas stonden te praten. De valkenier vertelde interessante dingen over zijn favoriet en legde uit hoe hij Bahari geoefend had. Hij vertelde over de omslachtige manier waarop zo'n vogel gehanteerd moest worden en over zijn methodes. Bahari was niet uit het nest gehaald, maar met een net gevangen; een 'wilvang' noemde hij dat. De oude man gebruikte vaktermen die hij maar half verklaren kon, maar omdat veel machines die dag aan de grond bleven, hadden de monteurs de tijd en ze luisterden graag naar hem. De piloot van het kleine éénmotorige toestel, een Bölkow Junior, schoof de plexiglas overkapping open en gespte zich hoofdschuddend los.

'Ik zie geen barst!' riep hij tegen de monteur, die kwam aanhollen. 'Die stoel moet hoger, anders kijk ik tegen de vleugels aan.'

Hij klom uit de cockpit en stond wijdbeens op het verstijfde knappende witte gras. De monteur klom in het toestel en bracht de stoel op de gewenste hoogte.

'Zo beter?'

'Ja. Je weet hoe het is. Op de grond heb je prima uitzicht, maar zodra je begint te klimmen . . .'

De monteur knikte. Hij wilde maar liever zo vlug mogelijk terug naar de beschutting van de hangar. De piloot, een sportieve zakenman die al een tijd terug zijn brevet had gehaald en nu lessen in luchtacrobatiek volgde, klom terug in de cockpit, gespte zich stevig vast en sloot de overkapping. Even later begon het vliegtuigje weer te taxiën. De mist kleurde roder en loste op terwijl de Bölkow met een zingend metalen geluid opsteeg.

Bahari wipte op en neer op de handschoen en sperde zijn bek wijd open. Hij zocht zijn jachtgebied af met kleine abrupte kopbewegingen en zag alles dat bewoog, en door zijn blik er scherp op te richten kon hij het als het ware naar zich toe trekken, zoals een mens doet met een verrekijker. Op het netvlies met dat verbazende vermogen viel nu het rode licht en daarin bewoog een minuscule Bölkow, die opsteeg naar de lege hemel.

De cockpit was redelijk ruim en de grote plexiglas overkapping bood naar alle kanten goed uitzicht. De piloot zag het vliegveld onder zich wegzinken, zodat het was alsof hij uit een trechter opsteeg. Hij keek tevreden uit over die wegvallende wereld, ontsnapte aan de ijzige regen die in sluiers over het veld werd gezweept en schoot in het zonlicht . . . schoot omhoog in een witblauwe diepte boven de zware regenwolk die langs de hemel dreef. Hij voelde zich bevrijd van alle dagelijkse beslommeringen, klom tot duizend meter en deed een *looping*.

Niet gadegeslagen door het grondpersoneel, maar wél door de grote starende ogen van de valk. Ogen, die het licht weerkaatsten. Ogen, omringd door donkere veren die het licht vrijwel absorbeerden zodat alleen die felle starre blik overbleef. De valkenier, gretig in gesprek met de monteurs, treuzelde met het vastknopen van de langveter. En ook de kap of huif, zette hij zijn lieveling nog niet op, zodat de valk vrij kon rondkijken en zijn blik gericht houden op de Bölkow, daar hoog boven het vliegveld. De piloot deed nu een *roll* op vijftienhonderd meter, en kreeg het veld boven zich, de lucht onder.

'Nee meneer,' vertelde de trotse oude man, 'we sluiten een valk nooit op in een hok, dan zou hij zijn vleugels stukslaan. We zetten hem straks op een rek of blok, dan kan hij vrij fladderen, ziet u. Dan binden we hem vast aan deze dunne riem, de langveter noemen we dat. Ja, nou wordt hij onrustig door alle belangstelling, nou gaat hij een beetje springen. Bahari is anders helemaal geen fladderzak, hoor.' En intussen liet de valk zijn felle barbaarse blik over het vliegveld dwalen, en nergens bewoog een vogel, maar toch . . . De ogen van Bahari verwijdden zich, zoals wanneer hij een mogelijke prooi zag. Zijn haakvormige bek keerde zich naar de hemel. En ineens staken zijn lange vleugels donker en dreigend af tegen de zondoorgloorde mist. Hij was nog vrij om op te stijgen. Nog niet door de langveter gebonden aan het blok, waarop hij vrij kon fladderen zonder zijn vleugels stuk te slaan. En opstijgen deed Bahari, zonder omhoog gegooid te worden door zijn baas, zonder een stoot in de goede richting.

Met wijd uitgespreide vleugels – zo breed en zo ver mogelijk op de lucht die hem droeg – leek de valk ineens fors, een gepluimd projectiel. Hij begon aan zijn cirkels, hoogte winnend met iedere draai, gebruik makend van de onzichtbare luchtstromingen. De wind blies harder langs de koude hemel. In het bleke licht verscherpten zich de contouren van de hangars. Regen slierde over het veld en de machines stonden daar als het ware verkleumd aan de grond. De verraste valkenier en de monteurs in hun fladderende overalls keken nietbegrijpend omhoog naar de opstijgende vogel. Ze waren toeschouwers van een unieke gebeurtenis, maar dat drong nog niet tot hen door. Ze vormden Bahari's publiek, maar Bahari was ze al vergeten. Hij klom snel hoger en schoot fel vooruit, met ware hartstocht, zijn puntige vleugels naar achteren gericht. Het vliegveld zonk onder hem weg en hij schoot het zonlicht binnen, en ineens leek zijn goorwitte borst ambergeel, zijn wigvormige staart diepblauw, en zijn gebalde knobbige poten glansden goudachtig. De valk keek niet meer om naar die wegvallende wereld, maar klom hoger en hoger. Alleen zijn baas kon hem nog volgen vanaf de grond door zijn prismakijker en schudde verbijsterd zijn grijze hoofd.

'Wat wil je nou toch, spruwlijer!'

De Bölkow Junior met zijn Rolls-Royce/Continental motor van 100 pk, een nieuw model met elektrisch bediende flaps en een vergrote spanwijdte van ruim acht meter, was uitstekend geschikt voor kunstvluchten. Een fascinerend speelgoedje voor de lage prijs van vijfendertigduizend gulden. De piloot bewoog genotvol de knuppel om weer een *roll* te beginnen, maar het vliegtuigje overtròk en ging in een duizelingwekkende duik. Hij liet meteen alles los, in de wetenschap dat het toestel zelf wel weer horizontaal zou komen, en zag in een flits een stip opstijgen in de door het plexiglas blauwachtig gekleurde hemel.

De valk steeg nu hoger dan de Bölkow die op duizend meter hoogte uit zijn duik kwam. Bahari klom tot vijftien-honderd meter en begon daar aan zijn onheilspellende cirkel. De piloot zag hem hoog boven zich als het ware stilstaan in de lucht. Hij vroeg zich af wat die eenzame vogel daar deed. Hij was zich niet bewust van het aanblik dat hij bood, vijfhonderd meter lager, wit afgetekend tegen het donkere vliegveld, de vleugels stil en gespreid als een meeuw zeilend op de wind.

Toen liet Bahari zich vallen. Het vliegtuig had de snelheid van honderdvijftig kilometer per uur en de valk ontwikkelde zeker dezelfde snelheid toen hij omlaag kwam. Die snel-heid vergrootte als het ware zijn gewicht en maakte hem hard en zwaar als een bom. Bahari was niet het minst onder de indruk van het formaat van zijn prooi. Hij had vogels gedood, twee- driemaal groter dan hijzelf, en deze zou hij ook krijgen. Hij hield zijn poten naarvoren, zodat zijn harde klauwen zich onder zijn borst bevonden, en stootte neer-waarts op zijn prooi. Zijn tenen waren samengebald, de lange messcherpe achterteen stak onder de drie voortenen uit. Hij was een doelgericht en dodelijk projectiel toen hij omlaag kwam suizen . . . Bahari kwam de cockpit van de Bölkow binnenvallen als een exploderende bom. De ver-raste piloot kreeg het met een knal brekende plexiglas als een verdovende hamerslag in zijn gezicht. Versuft en verblind door bloed en veren trok hij de stuurknuppel achteruit en drukte zo de neus van de Bölkow naar beneden, en sidderend over zijn hele metalen romp begon het vliegtuigje aan een gierende en schokkende duikvlucht.

Schreeuwend van pijn en schrik, met een bloedende ragebol van gebroken veren en klauwen in zijn schoot, probeerde de piloot het toestel uit die ongewilde en gevaarlijke duik te halen. Hij veegde wanhopig over zijn gezicht, maar het bloed liep opnieuw in zijn ogen. Toen hij weer kon zien, zag hij de grond naarboven komen... Hij zag wolken langsflitsen en een bundel rood zonlicht en ineens waren daar de hangars. Grauwheid volgde op de flits en toen was de grond daar al.

Hij keek verbaasd in zijn dood, als een man die uit een toren was gevallen. Een ambulance kwam met loeiende sirene aangieren over het witte veld en verbijsterde monteurs holden schreeuwend en armzwaaiend mee, ongeloof en ontzetting in hun ogen. De valkenier zag dat alles verlamd aan, de langveter en de huif nu zinloos in zijn hand. Vlammen sloegen ineens met een zucht uit de Bölkow, die zich met de neus in de grond had geboord, en een schroeiende hitte verdampte de rijp tot ver in de omtrek en deed het gras ritselend omkrullen.

Maar dat alles ging Bahari niet meer aan. Twijfel over wat hij gedaan had, kende hij geen moment. Hij had de grote vogel, die daar zo uitdagend rondcirkelde boven het vliegveld, uit de lucht gehaald. Dat was altijd goed geweest voor een brokje vlees uit de hand van zijn baas. Zijn snavel opende en sloot zich nog eenmaal met een kwaadaardig gesis. Het licht kromp weg in die grote woeste ogen. Het volgende moment waaiden zijn vlammende veren met de zwarte rook mee de cockpit uit.

réveille

Op de lege weg in het uitgestrekte groene land kon je hem al heel in de verte zien aankomen, sjokkend als een oud paard. Een dwerg van een man, met een oude legerjas aan; op zijn rug de zware tas die zijn hele silhouet vervormde zodat hij een bultenaar leek.

De kinderen zagen hem meestal het eerst en holden hem tegemoet. Maar dan ontdekten ze dat hij een vreemde was. Een onbekende marskramer; niet een van de plaatselijke venters die iedere maand langskwamen met zeep, veters, borstels, sponzen en zemen. Deze hadden ze nooit eerder gezien; ze liepen op een afstandje mee terug, terwijl hij maar eens tegen ze lachte en intussen de uitzinnig blaffende waakhond in de gaten hield.

Maar wie kocht er van een vreemde marskramer? De boerinnen zeiden meestal tegen de meid: 'Zeg maar dat we niks nodig hebben.' Want met een venter die niet uit de buurt kwam, kon je niet kletsen over de verre buren, de nieuwkomers achter de dijk, de paardenmarkt, de laatste prijzen van de meikersen, de strenge winter, en wie met wie trouwen ging. Met een vreemdeling deed je dat niet, en waarom zou je dan iets van hem kopen?

Soms verscheen de boer zelf op het erf en bekeek de vreemde marskramer zwijgend, wijdbeens, zijn handen in zijn zakken. Hij vond hem maar een raar mannetje, met zijn te grote hoofd en glanzende zwarte ogen. Een buitenlander, dat was wel zeker. Daar moest hij al zo niets van hebben. Als hij naar zijn zin genoeg gekeken had, spuwde hij eens op de grond en schudde zwijgend zijn hoofd. Dan begon de marskramer iets te zeggen met een opvallend accent; hij graaide al in die mars van hem. Maar dat kènde de boer; demonstratief draaide hij de dwerg zijn rug toe. Nee was nee.

Dan sjokte de marskramer weer weg over het erf, tussen de fladderende kippen door om uit de buurt van de hond te blijven, die als een bezetene aan zijn ketting rukte. En de kinderen, teleurgesteld omdat die geheimzinnige en veelbelovende tas niet open ging, liepen weer mee. Hun kans op snoep of een nieuw stuk speelgoed was ook verkeken.

Spijtig keken ze naar dat vermoeide mannetje dat even langs de weg ging zitten uitblazen. De dapperste kwam tenslotte bij hem staan.

'Wat heb je in die tas?'

'O, van alles.'

Zijn accent viel niet thuis te brengen, maar kinderen stoorden zich niet aan zulke dingen; ze zagen alleen die tas.

'Laat es zien.'

De oude marskramer glimlachte een beetje treurig en schudde zijn grote hoofd.

'Heb je dan centjes?'

'Nee.'

'Nou dan?'

Het jongetje draaide wat heen en weer, terwijl de man met een zeker leedvermaak naar hem keek. Eindelijk zei hij: 'Ik heb mooie soldaatjes. Vraag maar aan je pappa of hij een kwartje voor je heeft, dan krijg je er één.'

Het jongetje holde weg en kwam wat later teleurgesteld en hijgend terug. Nee was nee.

De marskramer maakte een welsprekend gebaar. Dan kon hij er ook niets aan doen. Maar blijkbaar had hij een zwak voor kinderen, want tenslotte zei hij:

'Nou, als je geen soldaatje kunt kopen, dan kun je er toch een maken?'

'Hoe dan?'

'O, dat is zo moeilijk niet. Toen ik klein was, maakten we ze altijd zelf.'

En de oude man raapte uit de greppel een kurk op, die nog uit de hals van een gebroken fles stak.

'Kijk, van deze kurk maken we het hoofd.'

Hij moest lachen om het ongelovige gezicht van het jongetje.

'Echt waar. Maar alleen een hoofd is natuurlijk nog niets. Waar maken we de rest van. Haal es een suikerbiet.'

Zo begon het, tot stijgende verbazing en geestdrift van de kinderen. Onder de jichtige handen van de oude man groeide een wonderlijke pop met ongelijke ledematen, die hij met ijzerdraad aan de romp vastzette. Het hoofd een kurk, de benen de gebroken steel van een afgedankte bezem, de armen wilgetakken, de romp een grote suikerbiet uit de stal – allemaal waardeloze rommel, door de kinderen geestdriftig bijeen gezocht en door de marskramer met verbazende handigheid in elkaar geknutseld tot een fantastische pop. Wat nu nog? Ogen. Twee gele luciferkoppen gaven aan het ruwgesneden kurken gezicht ineens een felle uitdrukking. Een kiezelsteen op de juiste plaats werd een witte barbaarse mond.

Het jongetje zelf ontdekte dat zijn omgekeerde metalen

emmertje een prachtige helm zou zijn. Zijn schelle stemmetje deelde al kommando's uit voordat de soldaat stevig op zijn benen stond, maar met twee halve aardappels als schoenen lukte ook dat. De marskramer moest goedig lachen om zijn strijdlustige geschreeuw.

'Zo . . . gaat deze soldaat meteen maar oorlogvoeren?'

'Ja. Hij gaat het land terug veroveren op de slechte mensen.'

'Nog zo'n gek idee niet.'

'Maar hij heeft nog geen sabel!'

'Een sabel.'

De marskramer keek zoekend over het erf, en de lage zon scheen in zijn ogen. Vreemde rode ogen kreeg hij daardoor, die hij een beetje dichtkneep terwijl hij zei:

'Nou, ga dan maar een mes uit de keuken halen.'

Het jongetje holde weg en kwam terug met een roestig tafelmes vol bramen. Dat werd met een rafelig stukje touw aan de wonderlijke pop vastgebonden. Nu had de soldaat een levensechte sabel en het werkstukje was voltooid. Tevreden zuchtend stond het mannetje op.

'Ik moet weer eens verder,' zei hij.

Het jongetje hoorde hem al niet meer. Een twee, hop! Een twee, hop! marcheerde hij zijn soldaatje over het erf. De marskramer lachte en schudde zijn grote hoofd. Hij keek nog eenmaal naar de boerderij toen hij in de kromming van de landweg stond, en luisterde even naar het verre, hoge stemmetje. Een twee, hop! Een twee, hop! Daarna vervolgde hij gebogen en zuchtend zijn weg.

Toen het jongetje moe gespeeld was en de schim van de volle maan al boven de boomgaard steeg, bleef het soldaatje achter op het erf. De kippen kwamen na hun stofbad eens kijken en de hond snuffelde er achterdochtig aan. De boer op zijn ronde voor het slapen, zag de absurde pop en dacht even met een vaag heimwee aan zijn eigen kindertijd. Geeuwend liep hij naar binnen.

Wit maanlicht scheen over het nachtelijke erf, waarboven nu de vleermuizen stil heen en weer joegen, hun silhouetten telkens weer een verrassing tegen de lege hemel. Een krekel begon te sjirpen.

En zo was het op alle erven langs de lange verlaten landweg. Overal joegen vleermuizen rond de donkere boerderijen. Overal sjirpte wel een krekel. De kippen op stok kirden als dikke vrouwen in hun slaap. En overal, ergens tussen hakblok en hondehok, lag wel een groteske pop met benen van halve bezemstelen, een romp van suikerbiet, een hoofd van kurk en voeten van aardappel – en met twee felle ogen van zwavel.

Aan het eind van de landweg vormde de dijk de horizon. Daar bogen de schrale boompjes in de nachtwind. In die windvlagen verhief zich nu ook de kromme gestalte van de marskramer. Zijn bleke gezicht spleet open in een tandeloze lach en zijn lispelende stem was nauwelijks hoorbaar toen hij commandeerde:

'Een, twee, hop!'

Op het erf maakte het speelgoedemmertje dat nu een helm was, een heel zacht metalen geluidje. De hond gromde even in zijn slaap, maar werd er niet wakker van. In het verbazend witte maanlicht trilden nu de halve bezemstelen. De wilgetakken die armen waren, bewogen. Heel langzaam, als iemand die wakker werd, kwam de pop overeind. Gele ogen keken zoekend rond en ontdekten de boerderij. Ledematen kwamen star, houterig in beweging.

Heel langzaam, alsof een groot leger ontwaakte, verrezen de soldaatjes langs de landweg op hun stijve benen. En allemaal vonden ze een zwaard opzij, een blinkend scherp stuk staal dat blonk in het maanlicht. Ze droegen die sabel mee de slapende boerderijen binnen, met stille en doelbewuste passen, zoals het soldaten betaamde die een land moesten terug veroveren op de slechte mensen.

de overlevende

Misschien was hij wel de enige overlevende.

Hij had er veel voor moeten verduren. Maar aanpassing lag zijn soort, dat had het in de loop van miljoenen jaren wel bewezen.

Het diepe meer was altijd zijn woonplaats geweest. Maar nu had hij geen leven meer in het water. Het meer was een bruine soep geworden. Hij had het stikken van de andere dieren gadegeslagen. Maar nu stierven ook de algen. En als gevolg daarvan kreeg hij geen zuurstof meer.

Dat was sterk. Hij had geleerd alles te verdragen. Zijn weke lichaam was geleidelijk bestand geraakt tegen alle afvalstoffen die in het meer geloosd werden. Hij was een levende vergaarbak van giffen en gassen. Hij deed het ermee. Als door een recente lozing het meer een tijdlang nóg onleefbaarder werd, dan trok hij zich terug in zijn huis. Zo wachtte hij betere tijden af.

Ditmaal had hij vergeefs gewacht. De kringloop was voorgoed verbroken.

Wat leefde moest sterven, ontbinden en verteerd worden door het nieuwe leven. Zo was het miljoenen jaren gegaan. Maar zo ging het nu niet meer.

Hij kon niet langer leven in het water.

Eerst was er de gewone vervuiling geweest, die je overal aantrof waar mensen woonden en hun industrieën floreerden. Rivieren spoelden chemische afvalstoffen en landbouwgiffen mee naar het meer. De vissen die niet stierven, leerden met het gif te leven.

Het werd de mensen afgeraden die vissen te eten.

De vissen zelf kregen geen advies. Gewoontegetrouw aten de grote vissen de kleine, die ieder hun eigen dosis gif verwerkt hadden. De grote stierven. De kleine vissen aten algen. En algen waren er genoeg. Meer dan ooit. Algen tierden welig als nooit te voren in het vervuilde water. De nitraten en fosfaten uit de afvalstoffen bekwamen de algen uitstekend. Het was kunstmest voor ze.

Ook de slak at als nooit tevoren.

Toen sloeg een tanker lek bij een onhandige manoeuvre en verloor zeventigduizend liter olie. De strandjes van het meer werden zwart, de watervogels stierven. Weken later haalden de vissers nog hun netten op met afgewend gezicht: vijfennegentig procent van hun vangst was dood, de rest stervende.

Het troebele wateroppervlak hield veel van het zonlicht tegen, dat de algen nodig hadden om te leven. Daarbij kwam dat de laag algen veel te dik was geworden. De onderste algen stierven en zonken als een dikke brei naar de bodem. En de ontbindende algen, die juist voor zuurstof moesten zorgen, verbruikten nu zuurstof die de slak te kort kwam.

Hij had geen keus. Alles om hem heen stikte. Het hele meer stierf.

De slak kroop aan land.

In het water ademde hij door zijn kieuw, maar nu hij bijna op het droge lag, sloot hij de kieuw af en begon door een long te ademen. Dit secundaire ademhalingsorgaan was een erfenisje van zijn verre voorouders, die ooit landdieren waren geweest. Maar die overgang was wel erg abrupt en dagenlang lag de slak die uit de diepte van het meer was gekomen, zich moeizaam aan te passen op de waterlijn. Daar waren spelende kinderen verrukt van hem.

'Kijk, een bunker!'

'Durf jij erop te klimmen?'

'Best.'

'Tot bovenaan?'

'Gerust.'

'Als je eraf valt, ben je dood.'

Kinderen klommen langs de spiraal van zijn gedeeltelijk met wieren begroeide schelp omhoog tot ze het hele strandje konden overzien en hoogtevrees kregen. Hij had zich bij hun nadering meteen in zijn huis teruggetrokken en dat hermetisch afgesloten. Hun blote voeten kletsten op de nog vochtige hoornachtige huid, die de dikke kalklaag van zijn schelp bedekte.

De slak wachtte. Hij had tijd nodig.

Het was op een regenachtige dag dat een tuinder iets groots en lomps zag bewegen achter zijn tomatenkassen.

Hij keek naar de hoge kegel die achter het hek langsschoof en vond het vreemd dat hij de traktor niet hoorde die het gevaarte sleepte. Het leek wel alsof het enorme geval recht op zijn tuinen afschoof.

Even later brak de kolos krakend en onstuitbaar door het hek, niet voorafgegaan door een traktor, niet gedragen door een oplegger.

De slak bewoog zich voort op zijn grote gespierde voet, die aan zijn buik vastzat. Hij rook overal voedsel om zich heen.

Zijn twee ogen op hun tentakels zochten naar de donkere plekken, waarvan hij wist dat het eten was. Zodra zijn tasters vegetatie vonden, schoof zijn zuigsnuit naar voren en ging zijn rasptong gretig aan het werk. Hij was een echte grazer.

De tuinder telefoneerde onmiddellijk de politie. Hij begreep niet wat voor een ding het was daarbuiten, maar het ruïneerde zijn kassen en hij belde in elk geval de politie. De verzekeringsmaatschappij mocht niet kunnen zeggen dat hij te kort geschoten was. Daarna ging hij verbijsterd zitten kijken. Telkens als het traag voortschuivende gevaarte een glazen wand indrukte, kromp hij ineen maar dichterbij komen durfde hij niet. Onder welke kategorie zou dit vallen? Was het een natuurramp? Wie moest hiervoor aansprakelijk gesteld worden? Schuld of schelmerij van buren, vijanden en alle anderen hoe dan ook genaamd . . . Schade veroorzaakt door wat? een ding?

Waar bleef de politie?

De twee agenten die in de witte politieauto de bocht omkwamen, zagen een bewegende groene heuvel opdoemen. Met gierende banden belandde de auto in een greppel.

De mannen staarden met afgrijzen naar dat onbegrijpelijke schouwspel. De heuvel gleed langzaam over een massa gebroken ruiten een tomatenkas binnen, met een soort golvende beweging. Het leek nog het meest op een reusachtige bulldozer die een lading glasscherven voor zich uitschoof.

Na een paar sprakeloze minuten kraakte een opgewonden stem door de mobilofoon. Er werd dringend om bijstand gevraagd. Twee takelwagens en een mobiele eenheid van de politie rukten uit.

De slak vond het nu toch te druk worden. Nu zijn honger was gestild, hoefde hij niets meer te wagen. Hij besloot maar weer eens een tijdje in zijn schelp door te brengen. De opening sloot hij hermetisch af met een soort deksel. Voorlopig had hij de buitenwereld niet meer nodig. Door verdamping zou hij wel wat lichaamsvocht verliezen, maar heel langzaam, want zijn stofwisseling werd lager. Hij kon maanden of desnoods jaren inactief in zijn schelp blijven.

De slak zou wel weer op fouragetocht gaan als de drukte om hem heen minder werd.

'Een slak, zegt u?'

Dr. Lievingthal van het Zoölogische Instituut luisterde naar de schetterende stem in de hoorn en trok een gezicht tegen zijn assistente. 'Hoe groot? Wilt u dat even herhalen?'

Eén minuut later haastte hij zich naar zijn auto, hoofdschuddend, op de voet gevolgd door zijn verbaasde assistente.

'Zo gek heb ik het nog nooit gehoord! De politie beweert dat ze een slak gevonden hebben, zo groot als een huis!'

Die avond zou de zoöloog nooit van zijn leven vergeten.

'Ik verzoek u dringend het dier vooral niet te beschadigen! Dit is werkelijk zoiets unieks . . .'

'Kan wel zijn, meneer Lievingthal, maar wij van de politie hebben de taak de burgerij te beschermen. Als dat beest . . .'

'Maar u ziet toch wel dat het een planteneter is, ongevaarlijk voor mensen!'

'De schade die hij veroorzaakt heeft, is anders niet mis,' zei de commissaris zuinig. 'Maar goed, als ik er de wetenschap een dienst mee kan bewijzen . . .'

En hij keek glimlachend in de camera van de televisieverslaggever.

'Commissaris, dit zal de hele wereld schokken! Een slak van zo'n formidabele afmeting!'

Intussen wilde de slak zich maar niet laten takelen. De takelwagens in hun hoogste versnelling konden hem niet van zijn plaats trekken.

De rijen nieuwsgierige toeschouwers groeiden aan. Nu het nacht werd, zetten schijnwerpers de vreemde bezoeker uit het meer in het volle licht. De tuinder liep overal zijn nood te klagen; de commissaris liet méér manschappen aanrukken en een afdeling van het leger meldde zich paraat.

Later op die avond zagen miljoenen mensen op hun teveekastje de reusachtige slak, die zich taai bleef verzetten. De tuinder vertelde de verslaggever van de grote schade in zijn kwekerij. Dr. Lievingthal keek opgetogen en riep triomfantelijk dat het toch maar om een gewone moerasslak ging, met unieke en groteske mutatieverschijnselen.

'Jazeker, *viviparus viviparus,* ziet u maar, de top namelijk stomp, de windingen bol, mondopening vrij breed en ovaal, de kleur licht- tot donkergroengeel, en drie onmiskenbare roodbruine spiraalbanden . . .'

'Doctor, hoe groot worden deze slakken normaal?'

'Volwassen exemplaren zo'n drie-en-halve centimeter hoog.'

'Maar dit monster is zeker tien meter hoog.'

'Ja, we kunnen dan ook gerust van een monstruositeit spreken. En de oorzaak moeten we waarschijnlijk zoeken in de ontstellende vervuiling van het meer, waarin zich zelfs – en dat wordt maar al te vaak ontkend – radioactieve afvalstoffen bevinden van de kerncentrale. We herinneren ons allemaal de tragische massale vissterfte van het vorige jaar. Dit zou een ander uiterste kunnen zijn. Hoewel ik mijn onderzoek nog maar nauwelijks begonnen ben, moeten wij dit wel aannemen. Terwijl alles stierf heeft deze *viviparus viviparus* juist gunstig gereageerd op de toenemende vervuiling. En mogelijk door een ons nog onbekende combinatie van chemische afvalstoffen moet zijn groeiproces abnormaal bevorderd zijn. Dat lijkt me werkelijk de enig logische verklaring voor dit fenomeen.'

De verslaggever bedankte de enthousiaste doctor, die zich terughaastte naar zijn slak, om in het schijnwerperlicht zijn metingen voort te zetten en collega's uit alle delen van het land te begroeten. De verzekeringsagent liep hoofdschuddend tussen de ravage van de vernielde kassen rond en zei ademloos: 'Man, nog een geluk dat het er maar één is geweest. Stel je voor dat er méér waren.'

Die nacht stonk het meer zo verschrikkelijk dat geen enkele late wandelaar zich in de buurt waagde. Niemand zag de talloze kegelvormige gedaantes opdoemen uit het donkere water en de lage oevers opkruipen met doelbewuste golvende bewegingen.

bloed van de condor

Eerst was de condor een stip in de blauwe lucht. Daarna zeilde hij vrij en moeiteloos over het ravijn, terwijl hij snel daalde. Zijn indrukwekkende schaduw gleed rusteloos over de rotsen. Wat later werd het fluiten van de wind tussen de slagpennen hoorbaar. Toen hij tenslotte naast het karkas van de lama neerstreek, veranderde zijn gedaante volkomen. Zodra hij die majestueuze vleugels dichtvouwde, werd de luchtgod een vulgaire gier. Gretig stak hij zijn kale kop en rode nek in de ingewanden van het rottende kadaver.

Van verschillende kanten doken ineens gestalten op, die zich hadden schuilgehouden in de nissen en spleten van de beschaduwde rotswand. Ze waren onzichtbaar geweest vanuit de lucht. De geschrokken condor probeerde nog op te vliegen, maar de mannen slingerden hun bolas en de koorden met de kogels snoerden zijn vleugels en poten tegen zijn lijf. Een wollen poncho werd over hem heengegooid. Verblind bleef de grote vogel zitten, een en al verbijstering.

'Een mooi mannetje!' riep een van de mannen. 'Daar zal Don Hernandez blij mee zijn!'

Toen Ramòn zijn condor miste, werd hij niet meteen ongerust. Misschien had Oliver een karkas gevonden in het ravijn. Dat scheelde dan weer een maaltijd, want de slokop vrat hem zo langzamerhand arm. Ramòn had toch al weinig te missen. Hij had van zijn vader een toelage gekregen om te gaan schilderen. De fabrikant had zich pas bij de roeping van zijn zoon neergelegd toen Ramòn van de Academie voor Beeldende Kunsten kwam met niets dan lof van zijn leraren. Omdat hij hem zelf al die jaren zijn studie had laten betalen, waarvoor de jongen in weekends en vakanties in de fabriek gewerkt had, voelde hij zich nu een beetje schuldig. Daarom was hij met het voorstel van de toelage gekomen. Ramòn werkte nu aan een serie schilderijen voor een tentoonstelling, en daarna zouden ze wel verder zien. Al langer dan een jaar woonde hij op het hoogland van Callejón de Huaylas in Peru, in een verlaten en vervallen boerderij. En hij liet steeds minder van zich horen. Het ging Ramòn niet zo best. Hij kon gemakkelijk met zijn toelage toekomen, maar met het verstrijken van de tijd begon hij te voelen dat er iets essentieels aan zijn werk ontbrak. Hij sprak er met niemand over – en geen leraar of kunstkenner had er ooit iets over gezegd – maar het begon hem steeds meer dwars te zitten. Soms staarde hij over het landschap dat hij zo graag in vlammende kleuren wilde vangen, en dan hoorde hij zichzelf zeggen: 'Ik heb geen talent. Het lukt nooit. Het lukt nooit.'

Hij voelde zich een waardeloze artiest. Toen hij nog hard in de fabriek moest werken om zijn studie te bekostigen, had hij nooit getwijfeld. Maar nu hij niets anders te doen had dan schilderen, groeide zijn twijfel met de dag. Het was zelfs zo ver gekomen dat hij niet eens meer hoopvol aan het werk ging. Het lukte hem toch niet om het wezenlijke van het landschap te vangen, al woonde hij er middenin. En toch boeide niets hem zó als dit dorre en desolate bergland met zijn adobe-huizen, rode en blauwe rotsen en eindeloze heuvels. De dorpelingen vond hij zonder uitzondering 'prachtige types' en hun primitieve manier van leven was 'pittoresk'. Hij schilderde alles: portretten van de verweerde en kromgegroeide boeren, de half-Indiaanse vagebonden, oogstplukkers en jagers, de rappe uitbundige kinderen. Hij sleepte zijn ezel het heuvelland in om de luchten boven de tafelbergen te schilderen, de grillige silhouetten van de geteisterde en platgewaaide boompjes op de kale heuvelkammen. Hij werkte harder dan ooit, grimmig en verbeten, want ééns moest het lukken. Eéns zou hij kans zien om de 'ziel' van het landschap vast te leggen op het doek.

In dat moeilijke jaar had hij trouw gezelschap gehad aan Oliver. Hij had de condor als een grotesk kuiken van bijna een meter hoog en een gewicht van tien kilo onder een steile rotswand gevonden. Het dier was waarschijnlijk bij zijn eerste vliegoefening van een hoge richel getuimeld en omlaag gefladderd, een gemakkelijke prooi voor de wilde honden. Omdat de rotswand absoluut onbeklimbaar was, besloot Ramòn de vogel mee naar huis te nemen. En het lukte hem het lelijke reuzenkind in leven te houden. Dat niet alleen, hij won ook het vertrouwen van de condor, zodat die zich al een week later als een aanhankelijke hond in zijn armen nestelde. Ramòn noemde zijn beschermeling Oliver, naar de beroemde wees Oliver Twist.

Oliver zat op zijn schoot als hij een boek las, liep hem na als hij de heuvels introk, zat te bedelen op de vloer als hij zijn eten bereidde. Oliver was verzot op baden en zonnen, in die volgorde, en zat zich urenlang met gespreide vleugels te drogen, zodat Ramòn in de schaduw daarvan een middagdutje kon doen. En toen Oliver bijna niet meer te tillen was, tilde Ramòn hem keer op keer zwetend en puffend de lucht in, zodat de vogel leerde met zijn brede vleugels te klapperen. Het duurde maanden voordat Oliver erachter kwam dat hij vliegen kon, maar op een dag bleek hij ineens de kunst meester. En nu, tegen zijn gewoonte in, was Oliver niet teruggekomen tegen zonsondergang. Ramòn ging naar bed met het voornemen om zijn huisgenoot te gaan zoeken als hij de volgende dag nóg niet terug was.

Condors hadden veel vijanden. Op de eerste plaats de Indiaanse jagers, voor wie zo'n vogel ruim twaalf kilo vlees betekende. Bovendien geloofden de boeren dat zijn maag en hart 'medicijn' bevatten. Ook sneden ze quena-fluiten uit zijn vleugelbotten. Ramòn had zich laten vertellen dat de Indianen zelfs het bloed van de condor dronken, om langer te leven. Condors werden door herders en boeren doodgeschoten omdat het domme bijgeloof uit barbaarser tijden hier nog niet helemaal uitgeroeid was. In elk geval was het heel aannemelijk dat er iets ernstigs met Oliver gebeurd kon zijn, toen hij de volgende dag niet kwam opdagen.

Ramòn voelde zich doodongelukkig. Hij zwierf langs de verschillende gehuchten en deed navraag bij de boeren. Die hadden geen condor gezien, wel de gebruikelijke zwarte gieren en af en toe een roofvogel. En de dagen verstreken. Het was misschien beter het zoeken maar op te geven.

In een van de dorpjes hoorde Ramòn van het jaarlijkse feest, dat in een tamelijk geïsoleerd bergdorp gehouden zou worden. Hij besloot zijn spullen te pakken en eens te gaan kijken. Zulke traditionele gebeurtenissen waren altijd bijzonder schilderachtig en het zou hem afleiden van zijn sombere bespiegelingen over het lot van Oliver.

Een oude rammelende bus bracht hem halverwege het dorp. Hij ontmoette veel herders, die van alle kanten op het feest afkwamen, en dus was het niet moeilijk om over het ruige bergterrein de weg te vinden. Een lange en moeizame voettocht, maar het was de moeite waard. De straten bleken versierd, de mensen waren uitgelaten en hadden hun beste kleren aan, en op de plaza was zelfs een soort van ereboog opgericht. Die middag zouden er eeuwenoude dansen uitgevoerd worden. Er zou ook nog een of ander ritueel plaatsvinden onder de poort, waarbij ruiters een grote rol moesten spelen.

Altijd goed voor een 'plaatje', dacht Ramòn bij zichzelf, want zo noemde hij de laatste tijd zijn eigen schilderijen. Plaatjes. Alles stond erop in de juiste kleuren, in het juiste perspectief. Maar dat was niet genoeg.

Dit jaar was Diego Hernandez de uitverkorene. Hij was buiten zichzelf van trots en geluk. Eindelijk was hij aan de beurt om de feestelijkheden te leiden. Om de mannen te kunnen betalen die de condor gevangen hadden én de muzikanten én de drank, had hij jaren gespaard. Nu was het zijn grote dag en iedereen juichte hem toe toen hij op de plaza verscheen om de versierde ereboog vol te hangen met bloemslingers en geschenken. In het midden van de aan koorden bungelende flessen bier liet hij één koord leeg. Het hing in een lus en zwaaide zachtjes heen en weer in de bergwind.

Daar kwamen de ruiters op hun mooiste paarden, ook al versierd met slingers en bloemen. Tromgeroffel en quenagefluit overstemde bijna het driftige hoefgetrappel. Onder gejuich van de toeschouwers probeerden de ruiters in vliegende galop de bungelende bierflessen uit de ereboog te plukken. Wie dat lukte, dronk de fles meteen leeg. Daarna kwamen de geschenken aan de beurt, die ze uitdeelden aan de opgewonden vrouwen en kinderen. Het had allemaal iets zó feestelijks dat niemand het kon aanzien zonder te glimlachen. Voor mogelijke schilders onder de omstanders was het bijzonder inspirerend.

Toen de laatste fles, het laatste pakje uit de ereboog geplukt was, werd het afwachtend stil. Er ging een gefluister door de menigte. 'Daar komt de condor!'

Twee mannen reden de plaza op en ieder hield de condor bij een tip van zijn vleugels. Ze staken zijn poten door de lus van het lege koord in het midden van de ereboog en lieten de vogel vrij bungelen. De condor begon wanhopig te fladderen om los te komen.

Weer stelden de ruiters met hun versierde paarden zich op, en ditmaal galoppeerden ze onder de boog door om in het voorbijgaan de condor te slaan met een gebalde vuist. In het begin lukte het bijna niemand om de condor te raken, zo wild fladderde de grote vogel heen en weer. Maar toen hij uitgeput raakte, vielen de klappen vaker en vaker. Hoog wolkte het stof onder de paardehoeven op. De fluiten klonken schril, de trommen bonkten, terwijl het eeuwenoude ritueel zich voltrok. Totdat de condor daar dood en verfomfaaid neerhing. En de ceremoniemeester, de trotse en gelukkige Don Hernandez, brak de bitter toegeknepen snavel open om met zijn tanden de tong van de vogel uit te rukken en te bewaren als een trofee. De condor, het symbool van het overwonnen heidendom, de verpersoonlijking van de Indiaanse afgod, was eens te meer 'geslagen'.

Tijdens de feestelijkheid dreigde het ritueel even verstoord te worden. Een jongeman die niet uit de streek kwam – waarschijnlijk zo'n halfzachte stedeling – was vóór de ruiters gesprongen en bijna omver gereden. Hij had zich zelfs aan een stijgbeugel vastgeklampt, maar lachende omstanders wisten hem vast te houden tot het ritueel afgelopen was. Vreemd genoeg liep die jongeman, waarschijnlijk dronken, luid te schreeuwen en te huilen, en hij wilde van niemand iets drinken. Hij holde naar de condor, die door de boeren uit elkaar getrokken werd – iedereen wilde wel een grote veer als souvenir – en begon zomaar te vechten. Een paar stevige jongelui hadden hem toen met vereende krachten buiten het dorp gezet. Zulke bezoekers konden gemist worden.

Wat de bezoekers van de tentoonstelling in Mexico-city ook van de geëxposeerde schilderijen dachten, een ding was zeker – het greep ze allemaal aan.

'Verschrikkelijk,' zei een dame hoofdschuddend, 'die jonge artiesten zijn zo wreed.'

'Wat een wonderlijke naam voor een serie: 'Het bloed van de condor' vond een journalist. 'Een pathetische reeks, moet ik zeggen. Maar wel indrukwekkend.'

'Prachtig hè? Doet me denken aan de antieke rotsschilderingen van de Inca's.'

'Ja, het lijken wel authentieke naïeven.'

'De hele serie is gebaseerd op een of ander oud volksgebruik in Peru, heb ik me laten vertellen,' zei een bekende kunstcriticus. 'Een verbazende ommekeer in het werk van Ramòn, anders. Vroeger had hij zo'n beheerste en uitgebalanceerde techniek. Dit lijkt er wel opgesmeten. Primitief eigenlijk. Maar wat een kracht, wat een bezieling!'

De jonge schilder zelf kon niet bij de opening van zijn expositie aanwezig zijn. Zijn vader, de fabrikant, wist niet goed raad met de situatie. Hij excuseerde zijn zoon en deelde mee dat de jongeman alweer ergens in Guatemala zat. Tegen de geestdriftige criticus zei hij schouderophalend: 'Ach meneer, inspiratie of niet, ik weet maar één ding: Ramòn wil deze doeken zelf niet onder ogen hebben. Wat mij betreft, ik zag liever de dingen die hij vroeger maakte. Dat was tenminste móói.'

galaxyrobot

De man die door de pastelkleurige gangen van het Robot-Revisie-Lab ijsbeerde, was onmiskenbaar een astronaut. Met een onbewogen gezicht tuurde hij door de glazen wanden de montagehal binnen. Daar waren technici met de eindfase van de revisie bezig: het opnieuw bemantelen van een Galaxyrobot. Bossen veelkleurige bedrading, geprinte circuits, transistors, elektronische schakelsystemen – heel dat mechanische zenuwstelsel verdween geleidelijk onder de voorgevormde huidplaten. Die werden zodanig aangebracht dat een astronaut ze moeiteloos weer kon demonteren, voor het verwisselen van een schakelpakket of het vernieuwen van een doorgebrande transistor.

Als astronaut leerde je zelf eenvoudige reparaties uit te voeren, maar hoe een robot precies in elkaar zat, begreep je toch niet. Je raakte vertrouwd met die ring van gloeiende ogen achter het fijne dural raster van een robotgezicht, maar de werking van dat foto-elektrische cellensysteem bleef een raadsel voor wie geen robot-expert was. Op de afdeling waar het 'brein' van een robot werd ingebouwd, met de minuscule radar- en sonarinstallaties, werd je niet eens toegelaten.

De astronaut keek naar al die geheimzinnige bedrijvigheid met een volmaakt uitdrukkingloos gezicht, zijn handen in zijn zakken. Technici die hem achter het geluiddichte plexiglas zagen, knipoogden tegen elkaar.

'Hoe staat het met de baby?'

'Pappa heeft z'n bloemen vergeten.'

Of ze zeiden: 'Laat 'm eens een doorgebrand circuitje zien, dan kijkt-ie of 't een blindedarm is.'

Ze waren allang gewend aan astronauten die door de gangen ijsbeerden, wachtend op de diagnose. De hoofdingenieur die uit de lift kwam en de astronaut begroette, probeerde ook een scheve glimlach te verbergen. Hij liet zich niet misleiden door dat onverschillige uiterlijk en de kalmté waarmee de astronaut zijn groet beantwoordde, alsof hij niet al uren in spanning gewacht had.

'U komt informeren naar Galax 23?' vroeg de ingenieur opgewekt.

De astronaut knikte. In zijn grijze, wat samengeknepen ogen werd toch iets van ongerustheid zichtbaar, een glimp. Ongetwijfeld dacht hij niet aan zijn robot als serienummer Galax 23. Tijdens de eenzaamheid van hun eindeloze reizen, bedachten ze altijd wel een eigen naam voor hun robot. Niet dat ze zoiets voor de wereld wilden weten; ze waanden zich onbespied in hun ruimteschip, duizenden lichtjaren van de aarde verwijderd. Dat gaf vaak aanleiding tot vrolijkheid in het Revisie-Lab. Zodra een robot werd binnengebracht probeerden de technici bij wijze van sport zo vlug mogelijk achter zijn naam te komen. Door het systematisch aftasten van zijn 'geheugen' dwongen ze de robot om het geheimpje te verraden. En dan noemden ze hem verder ook Bobby of Snorkie. Of plechtig Jozef, zoals nummer 23 bleek te heten.

'Nou, dat zit wel goed met Galax 23,' zei de hoofdingenieur. Hij wilde de astronaut niet langer in spanning houden dan nodig was. De hele wereld zag op naar die onverschrokken kerels van de Interstellaire Verkenningsdienst, maar híj kende de helden in hun bange uren als ze naar het Revisie-Lab kwamen om uit zijn mond te vernemen of hun robot al of niet voor een nieuwe reis was goedgekeurd . . .

Het had geen zin om de astronauten voor ogen te houden dat een Galaxyrobot maar een mechanisme was. Een machine, door middel van apparaten in staat tot menselijke handelingen. Dat wisten de astronauten tenslotte zelf ook wel. Verstándelijk wisten ze het. Hun Bingo of Jozef was niets anders dan een in serie gefabriceerde automaat, die uitgeschakeld moest worden zodra hij niet goed meer werkte. Een Galaxyrobot ging na iedere reis grondig in revisie en soms bleek het nodig hem te vervangen. Maar de astronauten waren helemaal niet gelukkig met een nieuw exemplaar, ze wilden hun eigen robot terug. Opgelapt, doorgesmeerd, de versleten onderdelen vernieuwd desnoods, alles was goed — maar het móest hetzelfde nummer zijn. Anders keken ze of er een moord was gepleegd. Op een machine, een ding, een robot!

Je kon een astronaut van de Verkenningsdienst niet botweg vertellen dat zijn robot rijp was voor de schroothoop. Dat kon je van een robot trouwens ook niet zeggen. Afgedankte Galaxyrobots werden doorverkocht naar de mijnen van Mars en Mercurius, waar ze nog een eeuwigheid dienst konden doen als kompels. Zo'n astronaut zag dat als een soort levenslang voor zijn Jozef. Over de mijnen kon je maar beter helemaal niets zeggen.

'Nummer 23 kan nog wel een reisje mee,' zei de ingenieur, zelf ook opgelucht, want het was toch altijd vervelend om iemand slecht nieuws te moeten brengen.

Een jongensachtige lach brak door op dat te strakke gezicht van de astronaut. 'Dat is geweldig,' zei hij. 'Wanneer kan ik hem ophalen?'

Zijn duidelijke opluchting ergerde de hoofdingenieur toch weer. Het was ook zo'n onzin! Het was pure sentimentaliteit, die voorliefde van astronauten voor hun eigen robot. Romantische nonsens. Die kerels gingen op den duur allemaal aan een soort beroepsdeformatie lijden. En die van de Verkenningsdienst waren trouwens om te beginnen al merkwaardige knapen. Wie koos er nu voor zo'n eenzaam bestaan, met een robot als enig gezelschap?

'Wanneer kan ik hem ophalen?' herhaalde de astronaut.

De ingenieur raadpleegde een lijst, die hij uit de zak van zijn witte jas haalde. 'Volgende week vrijdag.'

'Mooi,' zei de astronaut en met een groet naar de glazen wanden, waarachter de robottechnici een grijns onderdrukten, liep hij snel weg. De volgende keer zou nummer 23 waarschijnlijk uit de roulatie moeten, bedacht de hoofdingenieur, en dan zou die man doodongelukkig zijn.

Toen de lift de ingenieur had teruggebracht naar zijn werkkamer op de hoogste verdieping, kon hij uitzien over de lanceerplatforms. Luchtsluizen staken als rubberen rupsen in de ruimte en schepen kwamen in glijvlucht langs. In de verte wezen twee gigantische raketten met hun spitse neuzen naar de grote bol die een belangrijk deel van het uitzicht in beslag nam, en voor de helft het licht van de zon opving. De ingenieur bleef even staan kijken, de aantekeningen voor de revisie van Galaxyrobot nummer 23 nog in zijn hand. Hij dacht terug aan het verheugde gezicht van de astronaut. De ware Jozef, daar ging het de man om. Natuurlijk wende je aan zo'n robot. Je verbeeldde je dat zo'n mechaniek naar je hand ging staan, zeker als je er jaren mee alleen was in de ruimte. Maar toch kon hij moeilijk met die kerels van de Verkenningsdienst meevoelen. De ingenieur vergat dat hij zelf in de ogen van veel mensen een buitenbeentje was. Wie gaf er nu de voorkeur aan om te werken en te wonen in een oord waar geen verschil bestond tussen dag en nacht, waar de zuurstof uit kweekbakken vol algen moest komen, waar je je alleen kon verplaatsen via tunnels van de ene overkoepelde ruimte naar de andere? De ingenieur zelf stond er allang niet meer bij stil, hij was helemaal gewend aan het leven op een ruimtestation.

Hij keerde zich af van het venster en van het uitzicht op de grote, halfdonkere bol. Niets was zo indrukwekkend, vond hij, als de aarde gezien vanuit de ruimte.

De Verkenner IV brandde zich een weg door de duisternis van de 'Kolenzak', de permanente stofnevel ten oosten van het Zuiderkruis. Dichte stofwolken, opeengehoopt in de spiralen van het melkwegstelsel, onttrokken het schijnsel van verre, onbekende sterren aan telescopische waarneming. Maar hun samenstel van planeten, wachters en kometen zou niet langer een geheim blijven. Ervaren en betrouwbare astronauten van de Verkenningsdienst werden in speciale kleine en supersnelle ruimteschepen uitgezonden om over de hele galactische lengte en breedte de sterrengroepen te catalogiseren en in kaart te brengen. Natuurlijk was het onbegonnen werk om ieder van de honderdbiljoen sterren te exploreren, dat was ook niet nodig. Hele groepen waren nagenoeg identiek en bovendien overduidelijk volkomen doods. Het onderzoek richtte zich vooral op het hart van de Galaxy, waar de oudste sterren waren, op relatief kleine afstand van elkaar.

Dit grootse werk eiste een grote veelzijdigheid van de astronauten. Niet alleen op technisch gebied, ze moesten ook in staat zijn de gevaren en saaiheid van hun langdurige ruimtereizen te doorstaan. Iedere astronaut van de Verkenningsdienst stond alleen voor alle moeilijkheden, als je zijn robot niet meetelde. Zelf deden ze dat wél, ze beweerden dat ze de voorkeur gaven aan robots boven mensen. Zo verbazend was dat niet, als je naging dat hun eenmansschepen jarenlang onderweg bleven. Twee mensen samen in zo'n kleine ruimte zou vroeg of laat tot moord en doodslag leiden, zelfs de beste vrienden gingen elkaar op den duur op de zenuwen werken. Maar een robot ergerde zich nooit en wie zich aan een robot ergerde, zette hem eenvoudig een tijdje op nonactief. Een robot kende verveling noch heimwee, had geen behoefte aan argumenten en deed zijn werk zonder ooit te klagen. De praktijk had bewezen dat een astronaut beter af was met een robot als metgezel. Maar dan wel met een Galaxyrobot.

Hitte, koude, harde zonnestraling, elektronenstormen, dat alles had niets te betekenen voor een Galaxyrobot. Veranderingen in luchtdruk en stralingsintensiteit, het raakte hem niet. En bovendien was hij onvermoeibaar. Als een astronaut uitgeput ging slapen, begon de robot nog eens onaangedaan aan het uitwerken van alle informaties; een wanorde van gegevens waarin hij beter de weg wist dan de astronaut zelf. Terwijl de menselijke geest rust moest nemen, verwerkte het computerbrein duizenden calculaties en mits de gegevens behoorlijk waren ingevoerd, kon de astronaut bij zijn ontwaken rekenen op volledig uitgewerkte en gedecodeerde instrukties. Niet alleen kon een Galaxyrobot onwaarschijnlijk zwaar sleep- en sjouwwerk verrichten, graven en hameren zonder ooit vermoeid te raken (zolang zijn energie-eenheden maar werden aangevuld), hij signaleerde ook op komst zijnde en mogelijk gevaarlijke veranderingen in atmosfeer of temperatuur. Een Galaxyrobot was een supercollega.

Astronaut Clay Forrest schakelde de teleradar in. De planeet, die een stip op het radarscherm was geweest, werd als het ware dichtbij getrokken en op een groot beeldscherm geprojecteerd. 'Zie je, Jozef?' zei Clay Forrest tegen Galaxyrobot nummer 23, die zich met mechanische precisie door de nauwe ruimte van de kabine bewoog, 'weer zo'n stofboel als de vorige twee. Ik zei het toch al?'

Op het scherm verscheen een kleine lichtvlek, die de veranderende positie van het schip aangaf. De astronaut maakte aanstalten om zijn zoveelste landing uit te voeren. Lichten flitsten aan en uit op het paneel voor hem, codes die hem de gereedheid van het schip meedeelden. Wijzerplaten wezen hem dat de Verkenner IV kon landen. Achter hem werkte de robot snel en geluidloos; meteen na de landing lagen de nodige gegevens, afkomstig uit het micro-archief, al op hem te wachten. En Jozef zelf was al op weg naar de sluis om als eerste het schip te verlaten.

Hij hoefde niet te wachten zoals de astronaut tot de lichtfilters in het kijkglas van zijn helm zich hadden aangepast. Hij had helemaal geen helm nodig. En nu verliet hij het schip om geologische gegevens te verzamelen, mogelijke levensvormen te signaleren, de oppervlakte te onderzoeken en stralingen te meten. Al deze informatie zou hij doorseinen naar zijn baas in het schip. Clay wachtte. Even later zag hij Jozef door het eeuwig waaiende stof om het schip heen lopen. Zijn mechanische coördinatie werkte beter dan ooit na de laatste grondige revisie. Hij bewoog zich zo soepel als een mens.

Toen Jozef een uur later naar het schip terugkeerde, wist Clay dat hij veilig naar buiten kon gaan om zijn eigen aandeel van het werk te verrichten. Hij hees zich in zijn soepele, blinkende ruimtepak en begon zonder veel nieuwsgierigheid het verplichte onderzoek, nadat hij Jozef instruktie had gegeven de Verkenner IV te bewaken. Dat was de normale gang van zaken en hij werkte het voorgeschreven programma werktuigelijk en een beetje verveeld af. Tot aan zijn enkels zakte hij weg in het metaalachtige stof, dat een ware beproeving kon vormen als er een van die verraderlijke stormen opstak. Nu was de atmosfeer kalm, doods. Hij wist al dat hij op dit soort planeet geen spoor van leven zou tegenkomen. Dit onderzoek diende om de massa van de planeet vast te stellen. Volume, gemiddelde dichtheid, rotatie, afstand tot de dichtstbijzijnde zon, omlooptijd, oppervlaktetemperatuur en alle galactische coördinaten. Jozef zou wel weg weten met de latere berekeningen. Tenslotte zouden de eindresultaten ondergebracht worden in het archief en op aarde verwerkt worden in het grootscheepse projekt van de Verkenningsdienst, de Cartografische Dienst en de Interplanetaire Astronautische Dienst. Zijn, Clay's, minuscule aandeel vergde nú van hem dat hij door een desolate, stoffige wereld sjokte na maanden opgesloten te hebben gezeten in zijn ruimteschip. Er waren dagen dat zijn beroep hem tegenstond en dit was zo'n dag.

Hij voelde zich dan ook opgelucht toen de ronde erop zat en hij kon terugkeren naar de Verkenner IV, die daar stond te blinken in een kil onaards schijnsel. Clay keek naar het schip zoals een reiziger in een woestijn naar een oase. Jozef zat in de besturingskabine te wachten, roerloos en vredig, zoals hij daar tot in alle eeuwigheid zou wachten als er geen nieuwe instrukties kwamen, zonder interesse starend over een doodse wereld. In gedachten schroefde Clay zijn helm al los.

'Zo, ouwe reus,' riep Clay hem toe. 'Dat rotkarwei zit er weer op!' Jozef antwoordde met zijn mechanisch klinkende stem zonder intonatie: 'Attentie, attentie. Individu in aankomst.'

'Reken maar,' grinnikte Clay.

'Individu nadert kabine,' constateerde Jozef wat later.

Clay stond verrast stil. Waarom rapporteerde Jozef *zijn* aankomst? Hij nam de draadloze bevelenoverbrenger, drukte trefzeker een paar knoppen in en commandeerde in de microfoon: 'Specificeer individu.' De metalen stem vulde bijna onmiddellijk zijn bolle helm van onbreekbaar plexiglas.

'Aardling. Man. Astronaut.'

Hij bedoelt mij en niemand anders, begreep Clay verbaasd. Hij stond stil en dacht na. Wat kon dat betekenen?

'Individu is kabine genaderd tot dertig meter,' rapporteerde Jozef. En voegde er na een pauze aan toe: 'Laatst toelaatbare grens.'

Clay haalde zijn schouders op, maar bleef wachten. Hij

hoorde in zijn koptelefoons het gedempte en geoliede klikken en snorren dat altijd de aktiviteit van dat ingenieuze mechaniek vergezelde en toen herhaalde de robot: 'Laatst toelaatbare grens. Individu is kabine genaderd tot dertig meter. Laatst toelaatbare grens.' Clay's voeten hadden het gevaar eerder begrepen dan zijn hersens. Zijn stem trilde een beetje toen hij commandeerde: 'Open de sluis, Jozef.' Ook de vingers die de knoppen indrukten, beefden. De robot, na wat geklik, gesnor, geruis in zijn binnenste, gehoorzaamde niet. Clay begon moeilijk adem te halen. Opnieuw gaf hij het commando, opnieuw leek Jozef hem niet te verstaan.

Met schrille stem zei Clay: 'Herhaal de instrukties,' om tenminste te kunnen nagaan wat de robot dan wél ontvangen had. En na een ongewoon lange pauze antwoordde Jozef effen: 'Specificeer individu. Specificeer individu.'

De astronaut voelde hoe het zweet hem onder zijn ruimtepak aan alle kanten uitbrak. Dat mechanische brein moest het commando tot het openen van de deur gewoon genegeerd hebben. Het was onverwerkt gebleven. Hoe kon dat?

'Open de kabinedeur,' beval Clay opnieuw, ditmaal zorgvuldig de knoppen hanterend van de draadloze bevelenoverbrenger. En daarna wachtte hij ademloos af. Elektrische impulsen joegen nu door de complexe circuits. Met hier en daar een klikje van een relais, een honderdste millimeterdraai van een tandwieltje, werden ontelbare mogelijkheden weggesorteerd om dat ene antwoord in de kommunikator van de robot te leggen. Toen hield al die snorrende aktiviteit geleidelijk op en de metalige stem antwoordde neutraal dicht bij Clay's oor: 'Bewaak het ruimteschip. Bewaak het ruimteschip.' Clay begreep nu volledig wat er was gebeurd. Hij kreeg een scherp en toch wazig, vervagend beeld voor ogen: het binnenste van de robot, zoals hij dat in het Robot-Revisielab gezien had. Er kon altijd iets misgaan. Eén minuscule slijtage of beschadiging in een van die ingewikkelde circuits, één heel klein onregelmatigheidje in dat computerbrein . . . en Jozef weigerde alle bevelen die in tegenspraak waren met dat ene bevel: 'Bewaak het ruimteschip.'

Het moest gebeurd zijn terwijl de astronaut zelf op onderzoek uit was. Jozef was door een onbekende oorzaak 'gestoord' en het leek erop dat hij zou blijven weigeren de kabinedeur te openen. Tot in de eeuwigheid zou blijven weigeren. Maar Clay beheerste zich. Een robot was maar een robot. Als hij kon uitvinden wat er met hem mis was, kon hij dat misschien herstellen. Maar voor het eerst onderging Clay het matte rode schijnsel van die foto-elektrische ogen als iets onheilspellends. Onbewogen en onmenselijk staarde Jozef door het plexiglas, naar de astronaut die de lucht door de slangen in zijn ruimtepak kon horen weglopen. Binnen dat hermetisch gesloten pak zou de lucht langzaam opraken, terwijl hij wachtte op gehoorzaamheid . . .

Maar wachten zou geen oplossing brengen, en één stap dichterbij en Jozef zou in aktie komen en hem bestoken met een dodende straal . . . Onder zijn plexiglas helm begon Clays' bezwete gezicht onverdragelijk te jeuken.

Intussen bleef hij met een schorre stem opdrachten in de mikrofoon kommanderen, waarvan de betekenis blijkbaar telkens doodliep in de beschadigde circuits van het robotbrein. Het werd steeds duidelijker dat Jozef tot in eeuwigheid het schip zou blijven bewaken.

'Stuk oud roest!' schreeuwde de astronaut tenslotte buiten zichzelf, 'doe verdomme open!' Maar toen dwong hij zichzel tot kalmte. Hij begon te overwegen hoe hij Jozef zou kunnen misleiden. Hij móest, desnoods met geweld, in het ruimteschip zien te komen. Maar het was levensgevaarlijk. De gestoorde robot zou zonder onderscheid alles vernietigen dat te dicht in de buurt van de Verkenner IV kwam. Welke taktiek hij zou volgen was onvoorspelbaar. Jozef was weliswaar volkomen konsekwent in het doordrijven van een systeem, maar welk systeem? De logika van een tot in finesses doorgedacht waanidee viel nog wel te volgen, maar de keuze van handelingen bleek afhankelijk van de mate waarin de robot zich bedreigd voelde. En Jozef had nooit geleerd om *mensen* op een afstand te houden. Op dat initiatief was hij zelf gekomen, via een onnaspeurbare 'denkfout'. Zijn logische computerbrein bleef haperen op een kleinigheid, een kortsluiting, een 'vergissing' die de eerste de beste mens zou doorzien. Maar daar was wat fantasie voor nodig, een beetje inzicht, en dat miste de robot nu eenmaal. De konsekwenties waren kil en verschrikkelijk. Jozef zou ook zijn eigen baas op een afstand blijven houden en hem tenslotte laten sterven buiten het veilige ruimteschip. Clay zou daar in de zwarte stofnevel wachten en wachten tot zijn lucht op was en hij binnen zijn isolerende ruimtepak uitdroogde als een mummie. Misschien zou later, eeuwen later, een andere astronaut hem zo vinden en zich afvragen wat er gebeurd kon zijn. Misschien zou hij de bijna onverwoestbare robot aan het praten kunnen krijgen en die zou zeggen: 'Bewaak het ruimteschip.' Clay begon een omtrekkende beweging rond de Verkenner IV te maken, maar zodra hij één voet

84

binnen een straal van 30 meter zette, registreerde de robot dit meteen, met de precisie van een stereoskopisch apparaat. Dan hoorde de astronaut via zijn koptelefoon het robotmechanisme snorrend in beweging komen. Hij wist dat de laserstraal elk moment op hem kon losbranden, dus trok hij haastig zijn voet terug en het snorren bedaarde weer. Er bestond geen blinde hoek voor de alerte robot. Intussen begon het metalige stof steeds harder te waaien. Iedere beweging kostte inspanning in die spookachtige atmosfeer. Achter het beschermende plexiglas van de besturingskabine sloeg de robot de zwoegende astronaut gade, die tot zijn enkels wegzakte in het opgehoopte stof en zich moest buigen tegen de opstekende storm in.

Welke duistere schema's werkte het computerbrein op dat moment uit? Jozef kon zijn meester aanvallen, maar ook besluiten zich tot afwachten te beperken. Hij zou antwoord geven, mogelijk redeneren, als Clay het woord tot hem richtte, maar uiteindelijk zou hij de astronaut van het ruimteschip vandaan houden. Dat was het basiskommando dat in zijn circuits bleef hangen, het eindresultaat van alle argumenten en redenaties. Het was ondoenlijk om de draai van zijn verkeerde gedachtengang volledig te analyseren, ondoenlijk om alle mogelijkheden te programmeren die het computerbrein kon verwerken. De tijd ontbrak. En de kennis ontbrak. Dat zou werk geweest zijn voor de specialisten van het Robot-Revisielab. Alles wat de astronaut kon doen in deze omstandigheden, was proberen een doorbraak te forceren. Maar de tobbende robot, half genie, half idioot, hield hem goed in de gaten.

Toen kreeg de buitengesloten en kwetsbare man een idee.

Zijn fantasie overbrugde alle mechanische logika met een snelheid, waartegen geen circuit het kon opnemen. De enige mogelijkheid was Jozef uit te putten door hem te dwingen tot zwaar werk, binnen zijn opvatting van 'het ruimteschip bewaken'. Als de energie-eenheden van de robot opraakten, zou hij werkeloos moeten toezien hoe de astronaut het schip weer in bezit nam. Maar Jozef was onmenselijk sterk en gebouwd voor gigantische slavenarbeid. Jozef was een graver en sleper op verre planeten, waar de atmosfeer voor de mens dodelijk was. Hoe vaak was Clay niet gefascineerd geraakt door de ongelofelijke prestaties van die krachtige elektrisch-magnetische klampen aan de binnenkant van de robotarmen!

Clay probeerde de tijd te berekenen die hem nog restte. Toen die som hem te ingewikkeld werd, liet hij het Jozef voor hem uitrekenen. Zoveel zuurstof en zoveel energie, en wat zou het eerst opraken bij een gebruik van zoveel en zoveel enzovoort . . . En de robot, zolang hij de bewaking niet hoefde op te geven, gaf hem trouw alle informatie – informatie waarmee hij zijn eigen vonnis tekende. Toen schakelde Clay het kleine laser-apparaat in dat bij zijn uitrusting hoorde. Hij stootte met de dunne, krachtige straal met zuinige tussenpozen op de staart van de Verkenner IV, op een plaats waarvan hij wist dat alleen de huidplaten beschadigd zouden worden. En zoals hij verwacht had, registreerde de robot onmiddellijk de beschadiging en zijn brein begon te werken. Clay gokte erop dat hij veilig was buiten de cirkel van dertig meter rond het ruimteschip. Jozef zou hem niet aanvallen maar iets bedenken om het schip buiten het bereik van de laserstraal te brengen. Bewaken was de opdracht.

Voor zover Clay kon nagaan, zou de robot maar één konklusie kunnen trekken.

Na een hevig snorren in de circuits kwam Jozef in aktie. Met precieze mechanische gebaren verliet hij de kabine. Hij stapte door het zwarte stof naar de neus van de Verkenner IV, zette zijn magnetische klemmen tegen het metaal van de huid en schakelde voor één kostbaar moment al zijn energie-eenheden in. Het resultaat was imponerend. Een mier die een blinkende rups verplaatste, tientallen malen groter dan hijzelf. Jozef sleepte het zware ruimteschip een heel klein eindje van zijn plaats, zodat het buiten het bereik van Clay's laserstraal zou komen. Een korte, maar gigantische krachtsinspanning.

Clay richtte met kille berekening de laserstraal opnieuw op de staart van de Verkenner IV. Weer schroeide de dikke huidplaat en wéér ging het alarmsignaal werken in het robotbrein. Even later spande Jozef zich opnieuw tot het uiterste in om het ruimteschip van zijn plaats te slepen. En terwijl de stofnevel dichter werd boven de astronaut en zijn robot, lokte de listige mens met zuinige treffers telkens dezelfde reaktie uit. Hij achtervolgde met zijn laserstraal de staart van de Verkenner IV. Welbewust putte hij Jozef beetje bij beetje uit. De tijd drong. De laserstraal werd snel zwakker en de luchtvoorraad in zijn ruimtepak kleiner en kleiner ... En nog steeds leek Jozef onverminderd sterk. Geen menselijke kracht zou hem kunnen tegenhouden als hij Clay zou willen uitschakelen. Er viel geen konsideratie te verwachten van een robot, ook niet na zoveel jaren 'vriendschap'. Hij zou nooit bang worden voor wat Clay hem kon aandoen, zoals de astronaut zelf bang was voor de robot, bang voor beschadiging, pijn en dood. Jozef miste nu eenmaal voorstellingsvermogen. En dat hij ooit zwak en weerloos kon worden, kwam niet in hem op.

Maar zijn krachten námen af. Zijn eerst zo soepele bewegingen werden langzaam en moeilijk. Er kwam een moment dat hij vergeefs al zijn krachten inspande, het ruimteschip verschoof geen centimeter van zijn plaats. Tóch moest het buiten het bereik van die tergende laserstraal gesleept worden en dus blééf de robot zijn energie-eenheden uitputten, en toen was het gauw gebeurd met hem. Hij stond daar, diep weggezakt in het stof, zijn klampen tegen de neus van het schip, en vertraagde zienderogen in al zijn bewegingen. Een pathetisch gezicht. Maar Clay had geen tijd voor gevoelens van spijt of medelijden. Hij moest zichzelf nu snel in veiligheid brengen.

Zodra hij één stap binnen de veiligheids-zone zette, kwam Jozef weer rukkerig en stroef in beweging. Hij liet de neus van de Verkenner IV los en begon in de richting van de kabine te lopen. Clay ploegde snakkend naar adem door het opgezweepte stof en zag de blinkende robot naderen . . . Maar hij bereikte de kabine een fraktie vóór Jozef, hees zich zwetend naar binnen en smeet de deur dicht. Jozef bewoog zich na die laatste inspanning met aandoenlijke traagheid, als een mechanisme waarvan de veer was afgelopen. Hij sloeg met zijn kostbare handen van dural tegen het onbreekbare plexiglas terwijl Clay haastig de motoren startte . . .

Later, toen de rode lichtjes op het grote paneel aan- en uitflitsten, hoefde de astronaut alleen maar te luisteren naar het geruststellende klikken van de relais. Het schip zocht zijn eigen koers volgens instrukties van de automatische *course-plotter*. En met een gevoel van verlies zag Clay in gedachten zijn achtergebleven metgezel voor zich: Jozef, serienummer Galax 23. Met opgeheven hoofd en armen. Een blinkende mechanische man in een wereld van waaiend zwart stof, met matrode ogen omhoog starend naar het verdwijnende ruimteschip... Voor altijd verstard in die houding. Een souvenir van de mens op een dode planeet van het Melkwegstelsel, voor eeuwig wachtend op instrukties.

superman

De naakte man was bijna twee meter lang, gespierd als een atleet en knap als een filmster. Hij had lang blond haar, blauwe ogen en een vierkante kaak. Met grote sprongen holde hij voor de Landrover uit, die zeker tachtig kilometer reed op dit ruwe terrein, en die snelheid hield de man nu al ruim een half uur vol.

'Het bestaat niet!' zei Schafer, telkens als de hollende man een twee meter hoge sprong over een obstakel maakte, even gemakkelijk als een antilope of een kangoeroe. 'Het bestaat niet.'

Schafer's chauffeur zei niets. Hij had de grootste moeite om niet achter te raken op de hollende man; aan inhalen hoefde hij niet eens te denken.

'Dit houdt geen mens vol,' zei Schafer, zwetend en hijgend van opwinding. Maar de man hield het toen al bijna drie kwartier vol en liep nog steeds moeiteloos, en de chauffeur begon pijn in zijn armen te krijgen van het krampachtige sturen. Het terrein werd voortdurend ruwer en de wielen slipten soms in het rulle zand. De naakte man holde voor de hotsende en slippende wagen uit met af en toe een verbaasde blik over zijn schouder. Zijn blonde haar wapperde in de woestijnwind en zijn gladde, lenige lichaam blonk als goud in de zon. Hij leek zich absoluut niet in te spannen, er glom géén zweet en er viel geen spoor van uitputting te bespeuren. De chauffeur nam één draai te langzaam, de achterwielen gleden weg in los zand, de voorwielaandrijving redde het niet en de Landrover stond met een zwabberende beweging stil, midden in de woestijn. De verbijsterde geleerde en zijn chauffeur zagen de naakte man met grote sprongen verdwijnen, zonder vaart te verliezen een heuvel op en er overheen, en weg.

Met veel moeite kregen ze de Landrover weer op gang en in een onthutste stemming keerden ze naar het basiskamp terug. Daar werden ze opgewacht door de andere leden van de expeditie.

'Iets gevonden?'

'Ja, een man.'

'Een man?' vroeg iedereen verbaasd.

'Ja, een naakte blonde vent die kan hollen als een geit,' zei Schafer nijdig. 'Ik kreeg hem in de gaten door mijn veldkijker, maar hij zag ons ook en ging er meteen vandoor . . .'

De jongere teamleden hoorden het relaas van hun oude professor met ongelovige blikken aan en lachten maar eens tegen elkaar achter zijn rug, maar toen de chauffeur nijdig werd en begon te schelden, namen ze hem meteen serieus. Diezelfde middag, ondanks de hitte, gingen de twee meest ondernemende medewerkers er op uit. De expeditie werd door drie beroemde dierentuinen bekostigd en was bestemd om de laatste exemplaren van de uitstervende woestijnfauna te redden, maar in hun vrije tijd wilden ze dan wel eens op zoek gaan naar die zonderling, die blijkbaar in zijn blootje door de woestijn zwierf. Ze volgden het wielspoor van de Landrover en vonden de plek terug, waar de man de heuvel was opgeklommen.

Timons wees naar de dichte doornige struiken en schudde

zijn hoofd.

'Als-ie dáár doorheen is gelopen, moet-ie aan flarden ge-
scheurd zijn,' zei hij. 'Die ouwe Schafer ziet spoken.'

'Op blote voeten,' riep Lodeizen, die het spoor van de man
aan de andere kant van de heuvel terugvond. 'En geen drup-
peltje bloed. Zal díe een eelt op zijn zolen hebben!'

De twee mannen keken elkaar aan. 'Dat kan niet, hè?' zei
Timons.

'Maar het is evengoed waar,' zei Lodeizen.

Bevreemd reden ze achter het spoor aan van de naakte
man, die blijkbaar dwars door doornstruiken marcheerde
waarvoor een gepantserde miereneter opzij zou gaan. Ze
bereikten een open en zanderig gedeelte en koersten behendig met de lichte polyester jeep over de opgewaaide en door
uitdroging hard geworden richels, en kwamen uit bij een
plek waar de man zo te zien een diep gat in de grond had
gegraven.

'Voor wat?'

'Water.'

'Ja, dat moet wel. Kijk maar, onderin zit nog wat modder.
Maar hoe wist hij dat hier water zat?'

'Weet ik veel. Er zijn bosnegers, die *ruiken* water . . .'

'Ja, maar niet tot een diepte van bijna twee meter. En dit
moet een blanke zijn . . .'

Zwijgend, verward, vol tegenstrijdige gedachten, reden ze
verder. Het spoor leidde heuvel op, heuvel af, en liep tenslotte dood op een hoge rotsformatie, die over een lengte
van honderd kilometer het landschap in tweeën deelde.

'Nou,' zei Lodeizen. 'Aan klimmen hoeven we niet te denken, dat is uitgesloten, die wand gaat bijna loodrecht om-

hoog.'

Het voetspoor hield op onder de rotswand. Het ging dom-
weg niet verder, niet naar links, niet naar rechts, evenmin
keerde het in een boog terug.

'Als ik niet beter wist,' zei Timons, 'dan zou ik tóch denken
dat-ie tegen de wand is opgeklommen.'

Ze keken elkaar aan. Toen telde Timons af op zijn vingers:
'Hij holt op zijn gemak tachtig kilometer en houdt dat uren
vol, als we Schafer moeten geloven . . . Hij marcheert in zijn
blootje door doornstruiken . . . hij ruikt water op twee meter
diepte . . . hij klimt tegen deze rotswand op . . . Nou, dan
weten we toch met wie we hier te doen hebben!'

En hij lachte zenuwachtig.

'Het is Superman, wie anders?'

Tenslotte ontdekte de per radio opgeroepen helikopter-
piloot Superman op het beboste plateau en de achtervolging
werd opnieuw ingezet. 'Dat kan niet!' zei de piloot. Dat was
toen de scherpschutter van het expeditie-team vanuit de
laagvliegende helikopter twee naalden in Superman had geschoten uit zijn verdovingsgeweer. Een dosis waarvan een
olifant meteen onderuit ging en uren bleef snurken, maar
Superman holde zijn ouwe trouwe gangetje van tachtig kilometer per uur en sprong over een bergstroom zonder zijn
vaart in te houden.

'Wat is het record vérspringen?' wilde Timons weten, toen
de piloot dit rapporteerde door de radio.

'Acht meter zeventig of zoiets,' zei Lodeizen.

'Nou, dat is dan leuk voor de recordhouder. Deze bergstroom is minstens tien meter breed!'

Intussen schoot de scherpschutter uit de helikopter nóg twee naalden af en eindelijk, eindelijk vertraagde Superman zijn vaart. Hij keek omhoog, niet bang, maar een beetje verwijtend, alsof ze de pret voor hem bedorven hadden, en hij strekte zich suffig uit op de rotsbodem als iemand die echt aan een dutje toe was. Zo viel Superman in handen van de twintigste-eeuwse mens en daarmee werden méér records waardeloos dan alleen die van het vérspringen; maar dat bleek later pas.

Superman werd de held van de wereldpers. Hij was een raadsel, maar wat een knap raadsel! Zijn knappe smoel keek je aan van alle voorpagina's en iedereen, van hooggeleerde professor tot fabrieksjongen, verdiepte zich in het mysterie van zijn afkomst. Kort na de bekendmaking van zijn bestaan stuurden vrouwen over heel de wereld hem hartverwarmende, vertrouwelijke brieven, die hij helaas niet lezen kon. Hij bleek geen enkele taal van de aarde meester te zijn, Swahili noch Engels noch Esperanto. Streng bewaakt in een regeringsgebouw onderwierp hij zich zonder enige agressie aan een uitgebreid onderzoek. Verbazende feiten kwamen aan het licht. Terwijl zijn foto's miljoenen meisjeskamers sierden en beroemde wetenschapsmensen elkaar voor de televisie afbekten over de vele vragen die zijn bestaan opriep, stonden analisten in geheime laboratoria perplex. De textuur van zijn huid verschilde niet van normaal menselijk huidweefsel, maar was van een kwaliteit die ongekend mocht heten: dural leek er broos bij. Zijn ogen waren vergelijkbaar met telescopen; zijn bloed bevatte weerstanden tegen alle denkbare ziektes en zijn spieren en zenuwen konden onmenselijke prestaties leveren.

Superman eet biefstuk. Superman is gek op roomsoezen. Superman past een nieuw pak aan. Superman verslaat Koerentsov met gewichtheffen en maakt 9000 punten met tienkamp. Enzovoort. De persberichten volgden elkaar met regelmaat op. En niet op lichamelijk gebied alleen bleek de naakte man uit de woestijn de meerdere van al zijn mede- mensen. Hij had maar weinig voorbeelden nodig om in staat te zijn, deelsommen van tien cijfers te berekenen. De leraren die hem zo snel mogelijk de Engelse taal moesten bijbren- gen, bejubelden zijn intelligentie. Superman bleek werkelijk een superieur menselijk wezen. Het wachten van de hele wereld was nu op zijn eigen verklaring waar hij vandaan kwam. Allerlei ingewikkelde theorieën werden ontzenuwd. Hij was niet door een expeditie achtergelaten, leed niet aan geheugenstoornis, was geen vermiste bankierszoon ... Su- perman bleef een kompleet raadsel.

Een tipje van de sluier werd opgelicht toen in de woestijn een totaal uitgebrande raket werd gevonden. Zelfs een voor- lopig onderzoek bracht al aan het licht dat het materiaal waaruit de huidplaten bestonden, op aarde onbekend was. Toen Superman foto's van de raket getoond werd, knikte hij spijtig en begon weer te spreken in die onverstaanbare taal. De conclusie was eenvoudig: Superman kwam van een andere planeet. Weer explodeerde dit opzienbarende nieuws in de wereldpers: een door mensen bewoonde planeet had Superman naar de aarde gezonden!

Religieuze sectes waren toen al aan een hysterische Super- manverering toe en er was sprake van een algehele immi- gratie door wezens van die onbekende, maar superieure planeet. Spandoeken met WELKOM werden uitgespannen boven de steden en op bepaalde golflengtes riepen discjockies de mogelijk in twijfel verkerende Supermensen toe dat ze maar zo vlug mogelijk nieuwe landingen moesten uitvoeren. Maar de geleerden waren intussen tot alweer nieuwe conclusies gekomen en probeerden deze 'waanzin' de kop in te drukken.

Want zij voelden niets voor een invasie door de superieure wezens van die onbekende planeet. Zij waren getuigen geweest van een wonderlijk voorval tijdens Supermans eerste persreceptie. In een prachtig maatkostuum werd de geheimzinnige vondeling aan vooraanstaande figuren uit de wereld van pers en televisie voorgesteld en ineens, nadat hij zich voorbeeldig gedragen had, leek hij gek te worden. Hij wierp zich aan de voeten van een beroemde interviewster en sprak luid en opgewonden tegen haar in die onverstaanbare taal. De pekinees van de verraste journaliste schrok zó van zijn optreden dat het diertje van haar arm afsprong en keffend wegvluchtte, tot verbijstering van alle omstanders achtervolgd door een roepende en zwaaiende Superman. Dit verbazende gedrag werd voor de wereld verzwegen, want tegen die tijd was Superman een internationale held geworden en dat soort figuren maakten zich niet belachelijk.

Superman kon het in zijn nog gebrekkige Engels niet goed uitleggen en voor menselijk begrip was het ook iets te vreemd en onbevattelijk; maar een paar feiten stonden toch al gauw vast. Bijvoorbeeld, dat Superman voor de wezens van de planeet waar hij vandaan kwam, helemaal geen Superman was, maar integendeel, een soort intelligent dier, zoals een aap of een hond. En zoals de mens zijn eerste be-

97

mande ruimtevluchten liet uitvoeren door de chimpansee Enos in een Atlas-raket en door het hondje Leika in een Russische kunstmaan, zo hadden de onbekende wezens van die geheimzinnige planeet een mens als proefdier in hun raket geplaatst. Superman moest in hun ogen zoiets als een aap of een hond zijn. Dat opende afschrikwekkende perspectieven.

Wat waren het dan voor wezens die Superman uitgezonden hadden? Het viel hem zwaar dat uit te leggen. Maar tóen, tijdens die persreceptie, had hij even gedacht dat hij een van zijn bazen zag . . . op de arm van de hevig geschrokken dikke dame.

Hij bedoelde de interviewster en haar . . . pekinees!

WELKOM SUPERRAS! schreeuwde de wereldpers. De geleerden in het regeringsgebouw durfden elkaar niet aan te kijken. In de stilte die viel, hoorden ze de verre opgetogen stem van een discjockey door een transistorradio. 'Ja luitjes, nu we onze aarde zelf verziekt hebben, is Superman gekomen om ons de weg te wijzen naar een gezonde geest en een gezond lichaam! En zijn taak is het de weg te bereiden voor de Supermensen die na hem onze aarde zullen bezoeken.' Iemand zette de radio af. Superman keek welwillend en wat verbaasd naar al die ontdane gezichten. Wat hadden die wonderlijke aardlingen nu weer ineens? Nu kon hij eindelijk een beetje uitleggen wie zijn bazen waren – en dat wilden ze toch al die tijd zo graag weten – en nu was het blijkbaar weer niet goed. Hij keek afwachtend van de een naar de ander, bereid het iedereen naar de zin te maken. Als de bazen eenmaal zouden landen, kon het hier nog leuk worden. Zo vrij als de mensen hier rondliepen!

piranja

De Braziliaanse antropoloog Domingos Laroth hoorde pas
dat zijn werkster ziek was van haar plaatsvervangster, ook
een Indiaanse die door missionarissen opgevoed was, zoals
ze in haar gebroken Portugees vertelde. De grijze vrijgezel
was een man die zijn Indiaanse talen sprak: hij gaf het oude
mens in het Maká-dialect de nodige instrukties en haastte
zich terug naar zijn wachtende bezoekers.

Die stonden zich te vergapen aan zijn grote aquaria, die de
hele wand in beslag namen van zijn flat in Rio de Janeiro.
Na het verschijnen van zijn nieuwe boek over onbekende
stammen in het Braziliaanse binnenland, stond Domingos
Laroth weer in de publieke belangstelling. Er ging geen
week voorbij of hij moest wel ergens een lezing houden.
Vaak verscheen hij voor de televisiecamera's. Zijn manne-
lijke, verweerde gezicht deed het goed bij het publiek.

Domingos was niet alleen een wetenschapsman, maar ook
een woudloper, een ontdekkingsreiziger en een eersteklas-
journalist. Hij wist zijn adembenemende avonturen goed te
verkopen, zijn boeken werden verslonden. De royalties stelden hem in staat zijn studies voort te zetten en bovendien
kreeg hij van een rijke stichting tot behoud van bedreigde
stammen nog een vette toelage. Hij was een bekendheid in
Zuidamerikaanse wetenschapskringen geworden sinds hij
twintig jaar geleden, naakt in een Indiaanse kano, de Rio
das Mortes kwam afvaren. Een doodgewaande die niet al-

leen levend en wel uit de Groene Hel terugkeerde, maar bovendien in het bezit bleek van een uniek, eeuwenoud afgodsbeeldje.

Een kopie van dat beeld – het origineel was aangekocht door een museum in Caracas – stond nu in zijn studeerkamer. Zijn hele woning had iets weg van een museum: gebruiksvoorwerpen, wapens en sieraden lagen overal verspreid. Jaguarhuiden en koppen van gigantische wilde varkens die hij zelf geschoten had, hingen aan de wanden. Maar dat alles, en zelfs de rijen boeken die hij geschreven had, viel in het niets naast de reusachtige aquaria.

Ironisch kon Domingos vertellen over een halsbrekende klimpartij om een zeldzame orchidee te bemachtigen, terwijl hij het bezoek de bizarre bloem toonde. Geamuseerd somde hij de risico's op die hij had gelopen bij het oversteken van de vele rivieren, die wemelden van krokodillen en piranja's. 'Deze heb ik gevangen in de Rio das Mortes,' vertelde hij, en wees naar een groot aquarium. 'Deze soort, *serrasalmus natteri*, heeft de slechtste reputatie. Als je van dit visje gezelschap krijgt in de rivier, kom je er als een skelet uit.'

Hij schudde zijn hoofd en glimlachte bij de herinnering.

'De Indiaan die mijn kano voor me peddelde, miste opeens een vinger. Hij had nauwelijks het water geraakt, voelde niets – want deze beestjes hebben tanden zo scherp als scheermesjes en hun kaken zijn verbazend sterk. Ze kunnen gemakkelijk een stuk uit een krokodil bijten. Dus weg vinger, met bot en al.'

Het bezoek hing aan zijn lippen, als altijd.

'De man wou zich niet laten verbinden. Hij plakte een prop pruimtabak op de wond en knoopte er een vuile lap omheen.

Hij leeft nóg.'

Zelfs van de zeldzaamste piranjasoorten bezat Domingos Laroth er wel een paar. Geen van die vissen zag er bijzonder indrukwekkend uit, behalve dan die mondvol vlijmscherpe tanden.

'De naam komt van de Tupi-Indianen. *Pira*-vis en *ranja*-tand,' legde hij uit. 'Ze mogen misschien wat ongebruikelijke aquariumvissen zijn, maar dit is de beste manier om ze te observeren. Gelukkig heb ik een relatie bij het slachthuis, anders vraten ze me arm.'

Weer die ondeugende en relativerende lach.

'In sommige rivieren zwemmen ze rond in dichte scholen en alles wat vlees is trekt ze aan, als een magneet ijzervijlsel.'

Hij wilde nog een anekdote vertellen, maar de oude vrouw – de invalster van zijn werkster – kwam binnen, verlegen en onhandig, met koud bier en wijn. Ze had er lang over gedaan. Hij vroeg zich af hoeveel ervaring als werkster ze eigenlijk had. Daar moest hij straks eens naar informeren. Zo te zien kon ze zó uit het achterland zijn weggelopen, met die woeste haardos. Haar ingevallen gezicht zat vol verbleekte tatouages en littekens van de pokken. Die ziekte had verschrikkelijk huisgehouden onder de stammen. Duizenden doden. De Indianen ontvluchtten hun woonoorden uit angst voor de kwade geest die er bezit van had genomen. Hij moest het arme mens maar niet te hard vallen. Met een beetje geduld zou het wel lukken.

Domingos wuifde de onhandige vrouw weg en schonk zelf de glazen vol. Daarna boog hij zich over het aquarium met de *serrasalmus natteri*, een lange vork met een stukje vlees in zijn hand. Onmiddellijk leek het alsof het water kookte, zo borrelde en bruiste het oppervlak, en in dat schuim waren de vretende piranjas zichtbaar, stotend en rukkend aan het vlees, het losscheurend met hun verbazend sterke tanden. In een ommezien was het stuk verdwenen en nóg beten de woeste vissen in de tanden van de vork.

'Geen beminnelijke natuurtjes, hè?' lachte Domingos. 'Van een kaaiman laten ze alleen de botten over en misschien nog een stukje huid.'

Later, door het gezelschap uitgenodigd, zat hij in een duur restaurant bij een goed glas wijn te vertellen over zijn reiservaringen. En eens te meer deed hij verslag van zijn overleving in de Groene Hel. Het gezelschap leefde mee met de tegenslagen, de mislukking van zijn eerste expeditie. Zijn motorboot was door onbekende oorzaak in brand gevlogen midden op een rivier die kolkte van vraatzuchtige piranja's, en op de oever stonden vijandige Tchikapalu-Indianen met hun blaasroeren en giftige pijlen bij de hand.

Takanine had hem verteld dat hij zwemmend de oever had gehaald, als enige. Van zijn gids en helpers werd nooit iets teruggevonden.

Ach ja, Takanine!

Nu hij na zoveel jaar weer eens aan haar terugdacht, vroeg hij zich af wat er van haar geworden was. Zijn mooie Indiaanse beschermengel, ze had beter verdiend. Maar wat had hij dan moeten doen? De rest van zijn leven slijten als een Tchikapalu? Takanine had hem van de dood gered, dat was zeker. Zij, priesteres van Palu, de riviergod, had uitgeroepen dat deze blanke niet gedood mocht worden. En de Tchikapalus hadden haar geloofd en hem gespaard, hoewel hij weerloos aan hun voeten lag. Met het sarcasme dat de

Tchikapalus eigen was, hadden ze hem Wamaj genoemd, hun woord voor piranja, omdat hij uit de rivier kwam en bescherming van Palu en Takanine genoot.

En later, toen de Tchikapalus aan zijn aanwezigheid begonnen te wennen, mocht hij deelnemen aan hun gewone stamleven, de droom van iedere antropoloog. Hij werd ingewijd in geheimen die eens zijn boeken zo waardevol zouden maken. En tenslotte mocht hij zelfs Palu zien, de kleine riviergod die hem tegen de piranja's beschermd had. Een groter blijk van vertrouwen konden de Tchikapalus hem niet geven.

En nog later . . .

Domingos Laroth keek in zijn flonkerende wijnglas, een tikje aangeschoten en weemoedig, daar in dat sjieke restaurant in Rio, en zag het brede geheimzinnige gezicht van Takanine weer voor zich, zoals hij haar voor het laatst gezien had. Hij dacht terug aan de manier waarop hij bij de Tchikapalus was weggegaan, iets wat hij nooit uit de doeken gedaan had, niet in een van zijn beroemde boeken en niet tegen een van zijn geleerde bezoekers. Want dat was een herinnering die hij eigenlijk wilde verdringen.

Maar om de een of andere reden moest hij vanavond terugdenken aan Takanine, voor het eerst na jaren.

Hij zag Takanine weer aan de oever van de Rio das Mortes staan. Takanine, na een eenvoudige maar plechtige ceremonie zijn Indiaanse bruid. Hij zag hoe ze voorzichtig een piranja achter de kieuwen pakte en snel naar haar mond bracht. Domingos Laroth stond aan de oever, twintig jaar jonger, en zag Takanine de piranja hard achter in de kop bijten, waardoor de spartelende vis meteen dood was. En langs de hele oever klonk het zachte kraken van piranja-schedels, want de netten waren vol en zwaar binnengehaald. Domingos, grijze burger van Rio, zag zichzelf naakt tussen de krijgers deelnemen aan de dans van de riviergod. En later hurkte hij naast Takanine die de vangst boven een rokerig vuurtje roosterde. Het was die avond dat hij zich terugtrok in het bos, zogenaamd om meer brandhout te halen, maar in plaats daarvan was hij naar de kleine, ver-laten tempelhut geslopen om daar godslasterlijke heilig-schennis te plegen in de ogen van de Tchikapalus.

Hij had het eeuwenoude en unieke beeldje van Palu, de riviergod, gestolen. Met dat beeldje was hij in een kano ge-stapt, die op de oever lag. Geen van de Tchikapalus zou hem voorlopig achterna kunnen komen, want ze hadden het bittere water gedronken, een brouwsel waarvan ze buiten zichzelf raakten. Wamaj was verdwenen uit hun leven, even-als Palu.

Domingos herinnerde zich de tocht over de trage, troebele rivier, die raadselachtig glinsterde in het maanlicht, even geheimzinnig als het brede Indiaanse gezicht van Takanine, zijn verlaten bruid. Wat de Tchikapalus met haar gedaan hadden nadat ze de diefstal ontdekten, daar dacht hij liever niet over na. Waarschijnlijk hadden ze haar verstoten. Maar dankzij het bedrag dat het museum van Caracas voor het unieke beeld gegeven had, was hij in staat geweest een twee-de en succesvolle expeditie uit te rusten. Daarmee was alles begonnen: roem, publiciteit, toelages. Nu zat hij in het duurste restaurant van Rio, in gezelschap van bewonderaars. Hij glimlachte weemoedig. Wat had hij anders moeten doen? Zijn leven eindigen als een wilde?

In zijn flat stampte op dat moment de oude pokdalige Maká-Indiaanse een handvol eigenaardige wortels tot moes in het keurige stalen aanrecht. Als de antropoloog de verbleekte tatouages wat beter bekeken had, dan zou hij gezien hebben dat ze geen Maká-Indiaanse kon zijn. Maar misschien had hij onbewust toch de tatouages herkend en hadden die zijn gedachten teruggevoerd naar een lang vergeten avond aan de Rio das Mortes. De schrale verschrompelde vrouw bewoog zich onhandig door het keukentje, als iemand die geen muren gewend was. Ze nam de fijngestampte wortels mee naar de aquaria, om de vissen ermee te voeren. Het sap uit de vermorzelde wortels verspreidde zich snel door het water en de piranjas werden traag en suf. Ze lieten zich gemakkelijk uit het water scheppen en naar een emmer verhuizen, waar ze algauw weer bijkwamen.

De oude vrouw droeg de zware emmer de kamer uit.

Het verbaasde haar niet dat Wamaj haar niet herkend had. Een leven in ballingschap had haar vroeg oud gemaakt. En dan het schuldgevoel toen na Palu's verdwijning de ene ramp na de andere de Tchikapalus getroffen had. De helft van de stam was door de pokken gedood, de andere helft overgeleverd aan de willekeur van vijandige buurstammen die nu de overmacht hadden gekregen. Missionarissen waren tot in het hart van de wildernis doorgedrongen en één van hen had zich over haar ontfermd toen ze eigenlijk al op sterven lag. In zijn hospitaaltje had ze voor het eerst tijdschriften gezien, en daarin ... een foto van Wamaj, breedlachend met Palu als een trofee in zijn handen. De missionaris had haar uitgelegd dat het een foto van een bekende antropoloog was die in Rio de Janeiro woonde. Toen kon ze niet meer sterven.

Laat in de nacht keerde Domingos Laroth in zijn flat terug. Tot zijn verbazing was het licht defect. Dat oude mens had natuurlijk iets stoms gedaan. Dat zou hij morgen wel door een elektricien laten uitzoeken. Ze kwam hem mompelend tegemoet met een kaars die ze blijkbaar ergens opgedoken had. Hij controleerde of de noodinstallatie van zijn aquaria werkte en was gerustgesteld. De rest zag hij morgen wel. 'Laat het bad vollopen,' zei hij.

Het viel Domingos niet op dat de beruchte *serrasalmus natteri* verdwenen waren, want op dit uur hingen ze vaak bewegingloos tussen de dichte waterplanten. Hij kleedde zich in het halve donker haastig uit, trok zijn badjas aan en passeerde de oude vrouw op weg naar de badkamer.

'Ga slapen,' zei hij, 'ik heb je niet meer nodig.'

Weinig of geen licht, aangeschoten of niet, Domingos Laroth bleef trouw aan zijn gewoontes, als een echte oude vrijgezel. Hij nam altijd een bad voordat hij ging slapen.

Twee kranteberichten die omstreeks die tijd de aandacht trokken. In een flat in Rio de Janeiro was een lugubere vondst gedaan. De lezers werden de gruwelijke details bespaard, maar de bekende antropoloog Domingos Laroth was dood aangetroffen in een bad vol springlevende piranjas. En in een museum in Caracas had een suppoost een onwijs oud Indiaans mens een poging zien doen om een uniek afgodsbeeldje te stelen. Toen de politie erbij werd gehaald, bleek de vrouw geen adres te kunnen opgeven. De autoriteiten waren het er niet over eens wat ze met haar moesten aanvangen. Tot nader order was ze in een inrichting ondergebracht. Twee kranteberichten die de lezers met raadsels lieten zitten.

106

gunstige wind

Ze begreep niet wat het wezen op het eiland kwam doen.
Maar dat het ongelukkig was, dat voelde ze wel. Het zond
zulke treurige vibraties uit.
Wat het ook mocht zijn, het voelde zich op het eiland helemaal niet thuis. Het was ook duidelijk niet geschikt voor de
zee. Ze had meteen warme belangstelling gevoeld. Maar de
wind stond zo ongunstig. Die dreef haar weg van het eiland,
en ze was machteloos. Ze wilde het contact niet verliezen,
maar de wind, de wind.
Het wezen op het eiland had haar nodig. Daar kon ze zich
niet in vergissen, dat voelde ze. Als de wind nu maar draaide. Voor het eerst zolang ze zich herinnerde, ergerde ze zich
aan die eigenzinnige wind. En ontevreden dobberde ze verder. Tegen haar zin werd ze weggevoerd van het eiland,
maar ze zou terugkomen. Bij gunstige wind.
Gelukkig hoefde ze niet lang te wachten. De wind draaide
tegen de avond en zeilde haar langzaam terug. En het wezen
was er nog steeds. Bevallig gleed ze dichterbij en toen, langzaam, langzaam, rakelings langs het eiland. Maar ze werd
blijkbaar niet opgemerkt. Nog niet. En nu moest ze weer
wachten op een tegengestelde windrichting.
Een intens treurig geluid klonk over de golven. Het wezen
maakte geluid dat een beetje op het schrille roepen van
meeuwen leek. Ach, het was zeker eenzaam. Maar hoe
graag ze ook wilde, ze kon niets doen. Wat jammer dat de

wind de afstand tussen haar en het eiland geleidelijk groter maakte.

Arm wezen!

Hij zong de vergeten liedjes uit zijn kindertijd, al die sentimentele, lieve en domme liedjes, en voelde zich de eenzaamste man op de wereld. Hij zong met lange uithalen, luid en schor in de wijde onverschillige ruimte, en zijn heimwee leek alleen maar te groeien.

Waarom had hij zich laten strikken voor dit rotkarwei? Een hele week alleen op dit meeteiland, vier kilometer uit de kust van Terheijden. En dit was pas de tweede dag! Nu al wist hij heel zeker dat Rijkswaterstaat het volgende jaar naar een andere monteur mocht uitzien voor de revisie van de meetapparatuur.

Hij had deze klus nooit moeten aannemen. Hoe kon een volwassen man zichzelf zo slecht kennen? Hij had altijd gedacht dat hij goed tegen eenzaamheid kon. Nou, dat was pure verbeelding geweest, zoveel wist hij nu wel. Na twee dagen op dit eiland, omringd door niets dan zee, lucht en meeuwen, liep hij al luidkeels te schreeuwen.

Het zou nog vier dagen duren voordat de boot hem kwam ophalen. Had hij die stomme transistor-radio nou maar niet uit zijn handen laten vallen! Een beetje muziek had alles veel dragelijker gemaakt. Of een hoorspel. Nu hoorde hij niets dan de zee, die steeds luider tegen hem leek te bulderen. De wind floot langs de stalen spandraden en zweepte de golven op.

De wijzers van de meetapparatuur voor de golf- en stroombewegingen bleven ineens trillend hangen op een volstrekt onwaarschijnlijke graad. Hij moest de hele installatie maar weer eens nalopen. Daar begon hij meteen mee. Als hij veel te doen had, vergat hij vanzelf die melancholieke gedachten wel.

Later, toen de wijzers allemaal weer deden wat er van ze verwacht werd, dronk hij een kopje instantkoffie bij de reling. Nu de zon onderging, overviel het gevoel van eenzaamheid hem weer met verrassende hevigheid. Hij begon weer luidkeels te zingen, schor en vals tegen de fluitende wind in.

De wind stond gunstig. Ze kwam eraan. Ze kwam het eenzame wezen troosten. Het gezelschap houden. Ze wist dat ze mooi was. Groot, prachtig symmetrisch van vorm, en zéér sierlijk. Ze voelde zich juist vanavond een en al glanzende schoonheid. Geen zeeanemoon, geen koraal kon zich aan haar meten. Niet alleen kon ze pronken met wel honderd verschillende kleuren, maar ze was ook nog lichtgevend. Soms kon ze er zelf diep van onder de indruk raken, hoe mooi ze was.

Ze kwam eraan. Het wezen zou niet langer eenzaam zijn op het eiland. En ze voelde het, ze was mooier dan ooit. Het late licht trilde op haar zachte witte vel. Nog even, dan zou ze bij het eiland zijn. Dan zou het wezen haar zien. Ditmaal mocht ze niet ongemerkt voorbij glijden. Wat er zou gebeuren als het wezen haar zag, wist ze eigenlijk niet. Maar het zou zich niet langer eenzaam voelen, dat was wel zeker. Het zou . . .

Hij leunde over de roestige reling en zag op een afstand een onwaarschijnlijke flonkering in de golven. Hij wreef over zijn baardstoppels, geeuwde en leunde nog verder naar voren om toch eens goed te kijken naar die uitgestrekte glansplek in het onrustige water. Was het olie, die op de een of andere manier reflecteerde tegen de avondhemel?

De laatste zonnestralen waren nu verdwenen, maar toch meende hij nog iets van een schijnsel te kunnen onderscheiden. Toen schudde hij zijn hoofd en strekte zijn rug. Gezichtsbedrog natuurlijk. Hij mikte een restje koffie over de reling en draaide zich om. Twee dagen alleen op zo'n roteiland en je ging je van alles verbeelden.

Hij verdween in de houten keet. Het werd snel donker. Een hoge golf spatte tot schuim op de bazaltblokken van het meeeiland en het schuim lichtte even wit op, met een geheimzinnige fosforescentie. Toen het water slurpend wegliep tussen de gladde stenen, bleef het schuim achter, en de wind waaide het in grote vlokken over de reling tegen de geteerde wanden van de houten keet.

Waar water en schuim verdwenen waren, bleef de fosforiserende glans op de zwarte stenen achter. Na iedere hoge golf werd de geheimzinnige lichtuitstraling sterker. Een paar draaddunne straaltjes van dik parelend vocht gleden wonderlijk genoeg niet terug het donkere water in, maar bewogen zich trillend omhoog tegen de bazaltblokken op. Waar de glimmende sliertjes met hun verbazende violette lichtuitstraling de nietige vegetatie tussen de stenen raakte, gebeurde er in alle stilte iets vreemds. Op de algen verschenen ontelbare minuscule blaasjes en bijna onmiddellijk daarna krulden de plantjes op en verschrompelden. Tussen de dikke bruingroene aangroeiing liepen nu ineens de dunne zwarte strepen van brandschoon bazalt. En na iedere hoge golf bleek dat ragfijne zwarte netwerk hoger te zijn geklommen over de hele breedte van het meeteiland.

Een visje dat was achtergebleven in een geul tussen de stenen om garnalen te jagen, leek ineens te verstijven in een kramp. De staart krulde op naar de wijdopen bek en zo kwam het als een vraagteken boven drijven, de ogen rond en star. Een sliertje dik vocht trilde in het zwarte water van de geul als een zwakke lichtstraal.

Van een afstand tekende de waterlijn langs het meeteiland zich af als een lichtstreep, maar hij – in de keet – was de laatste die dat zou zien. Hij kon niet slapen en lag te luisteren naar de wind, die geleidelijk ging liggen. De zee werd stil en een lauwe golfslag klotste monotoon tegen de bazaltblokken. Soms hoorde hij een zuigend, slurpend geluid, maar daar schonk hij geen aandacht aan. Hij dacht aan bioskopen die uitliepen, aan gezellige café's, aan een laat radioprogramma waar hij anders altijd naar luisterde. Hij gooide zich zuchtend op zijn andere kant en hoorde weer dat slurpende geluid, maar nu dichtbij, achter de wand van de keet.

Nu luisterde hij bewust. Het leek zich langzaam langs de houten wand te verplaatsen. Zou het water zo hoog zijn gekomen vannacht? Liep het misschien de hut binnen? Hij opende zijn ogen en dacht: verrek, wordt het alweer licht? Of heb ik een lamp laten branden? – en toen: Niks geen lamp. D'r is helemaal geen paarse of blauwe lamp buiten! Het violette licht kierde door de spleet onder de deur naar binnen en straalde als een waaier uit over de traptreden en de vloer. Hij reikte naar de grote staaflantaarn en knipte die

111

aan. De sterke lichtbundel gleed even over de zoldering, over de geteerde wand, over de mooie juffrouw die een of ander merk frisdrank aanbood op een fabriekskalender . . . Toen werd de trap in het felle licht gevangen, en hij staarde en staarde.

Eerst dacht hij dat het dunne waterstraaltjes waren, die omlaag vloeiden langs de treden. Maar er was toch iets vreemds met dat binnendruppelende water. Het leek wel of de straaltjes bewogen. Je zou zweren dat ze bewogen. Dat moest het trillen van de lantaarn in zijn hand zijn. En er kwam steeds meer van die nattigheid binnendruipen.

Hij sloeg de dekens van zich af, geërgerd omdat hij niet meer kon slapen, en trok zittend op de rand van de kooi zijn laarzen aan. Hij rilde en geeuwde en krabde zich eens, en zat toen onbeweeglijk. Wat was dat? Natuurlijk bewogen die waterstraaltjes, maar dat was ook niet vreemd – het was vreemd dat ze alle kanten uit bewogen. Ze zochten niet het laagste punt op. Hoe kon dat?

Hij liep naar de trap en keek naar de vibrerende waterige draden, en nu hoorde hij dat dáár dat slurpende zuigende geluid vandaan kwam. En waar het hout met de draden in aanraking was geweest, leek het wel uitgebeten door een of ander zuur . . . Maar de betekenis daarvan drong niet tot hem door. Hij schudde suffig zijn hoofd. 'We moesten maar es gaan kijken.' En hij trapte onverschillig met zijn zware laarzen op de bibberende violette draden, terwijl hij de trap opklom en de deur openstootte.

Daar was het wezen! Ze móest hem aanraken. Zijn eenzaamheid was voorbij. Ze trok haar hele ronde lichaam samen, opende en sloot zichzelf als een scherm, een paraplu, en wilde in één keer al haar draden laten uitschieten. Maar hier op het droge was dat onmogelijk. De pulserende beweging waarmee ze zich in het water zo gemakkelijk kon redden, werkte hier nauwelijks.

Wat jammer!

Hij sprong achteruit, alsof zijn benen eerder begrepen wat zijn ogen registreerden dan zijn verstand. Nóg begreep hij niet wat hij zag. Hij staarde en staarde. Zijn blik gleed van de flapperende en blubberende gedaante bij de reling naar de vloer, die zover hij kon zien was bedekt met trillende vochtige draden. Hij stond erop. Ze hingen omlaag over de bazaltblokken, ze deinden als onmetelijke franje op de golven, ze leken wel te reiken tot aan de horizon. Uit zijn wijdopen mond ontsnapte een geluid, eenzamer en treuriger dan ooit enig zeedier had gehoord.

'Moeder!'

Hij wist niet wat hij beginnen moest. Walgend en bevend stond hij daar, en staarde.

Een kwal. Een reus van een kwal. Een enorm lillend monster, zo groot als een vloerkleed. De krans van ontelbare giftige tentakels die alle kanten uitwaaierden, had zeker een reikwijdte van honderd meter. En in het midden van die wuivende veelkleurige franje, blubberde dat reusachtige witte weke lichaam. Het hele beest verspreidde een verbazende glans, een violette lichtuitstraling, die nu zienderogen afnam.

Ze kón niet verder. En ze was zo dichtbij! Ze spande zich in tot het uiterste, maar zonder de hulp van het water was het haar onmogelijk om verder vooruit te komen. Onmachtig hing ze over de reling, flonkerend met alle kleuren van de regenboog, zo mooi, zo mooi, en alles voor niets! Want ze merkte wel hoe treurig het wezen nog steeds was.

Nog eenmaal strekte ze haar hele lijf, maar het hielp niet. Ze voelde dat ze niet meer vooruit kwam, en teruggaan was ook onmogelijk. Het donkere water klotste diep onder haar, onbereikbaar nu er geen hoge golven meer kwamen om haar op te tillen en mee te dragen.

Langzaam begon de nachtwind haar witte weke lijf te drogen met zijn hijgerig gefluister. Toen wist ze dat ze verloren was. Er zou niets van haar overblijven als ze zo bleef hangen. Ze zag geen kans om los te komen van de reling en de wind, de eigenzinnige wind bracht geen hoge golven meer.

Hij haatte het aanblik van dat griezelige beest, dat blijkbaar speciaal omhoog was gekropen om hem te vergiftigen met die onmetelijke tentakels. Toen hij begreep dat er geen gevaar voor hem dreigde, zolang hij niet met zijn blote handen de draden aanraakte, stond hij even besluiteloos te kijken. Het was geen gezicht. Wat een walgelijke dieren bestonden er toch. De lichtuitstraling werd steeds zwakker; de reusachtige kwal leek nu wel een witte parachute tegen de nachthemel.

Toen maakte hij de brandslang los. Lachend en hoofdschuddend om de groteske kronkelingen die het beest maakte, spoot hij met de krachtige straal zijn nachtelijke bezoek terug de zee in. Misschien moest hij zoiets bijzonders laten hangen, zodat de bemanning van de boot het ook kon zien.

114

Maar hij voelde niets voor het gezelschap van zo'n eng geest. En natuurlijk zou het gaan stinken. Nee, opgeruimd was netjes, en zorgvuldig spoelde hij de lange, lange franje van het meeteiland af, het plonsende witte lijf achterna. Tevreden zag hij de reusachtige kwal verdwijnen in de nacht, wegdrijvend op de golfslag. De wind stond gunstig, die dreef de weke massa als een zeil voor zich uit, de wijde zee in. Opgelucht begon hij een vrolijk marsliedje te fluiten.

spiegelbeeld

Het was een van die avonden waarop hij wenste dat hij een ander was.

Al zijn eigen gedachten verveelden hem en geen boek of tijdschrift kon hem boeien. Het laatste televisieprogramma had hij ongeïnteresseerd uitgezien. Er gebeurde niets in de wereld waarover hij zich kon opwinden. Een oorlog hier, een overstroming daar, een epidemie in Azië en een songfestival in Engeland – het zei hem allemaal niets.

Hij leefde zijn eigen saaie leventje, dag in dag uit weggedoken achter zijn boeken, en vertaalde zonder enthousiasme de ene lijvige studie na de andere. Hij was eenzelvig van aard. Er waren dagen dat hij zijn huis niet uitkwam. In kamerjas en pyjama bleef hij dan rondlopen, een wereldvreemde middelbare vrijgezel met een bleek, wat pafferig gezicht en bijziende ogen. Dat gezicht bekeek hij die avond nog eens aandachtig in de spiegel.

Hij wreef over zijn ongeschoren wangen en trok de losse huid onder zijn ogen strak. Eens was hij jonger geweest, maar niet knapper. Er viel dus niet veel te betreuren. Mistroostig streek hij met zijn wijsvinger over het bruine litteken op zijn rechterslaap. Dat was daar altijd geweest, voor over hij zich kon herinneren. Als kleuter was hij tegen een brandende kachel gevallen, maar een traumatische belevenis kon het niet geweest zijn, want hij herinnerde zich het vooral niet. Daar had hij dit litteken aan te danken, een deci-

meter bruine gerimpelde huid. Hij zuchtte en keerde zich a
van zijn spiegelbeeld. Hij was niet tevreden met zijn gezicht
niet tevreden met zichzelf, niet tevreden met zijn hele leven
Maar de energie ontbrak hem om er iets aan te veranderen
En goedbeschouwd zou hij ook niet weten wat hij dan wé
wilde. Hij slenterde door zijn brandschone modelwoning er
probeerde te luisteren naar een plaat, een pianoconcert da
hem vroeger wel iets gedaan had. Maar nu klonk de muziek
leeg en vlak in zijn oren. Tenslotte zette hij de pick-up a
en toen leek hij langzaam in de wattige stilte weg te zinken
Dat kreeg je met dubbele ramen en massieve muren. Hi
moest ongestoord kunnen werken, maar nu zou een of ande
geluid van buiten hem welkom zijn.

Tegen zijn gewoonte in gaf hij gehoor aan een impuls er
opende de glazen schuifwand naar de tuin. Het was nauwelijks een tuin, want ieder natuurlijk groen ontbrak. Eer
kunstmatige, ovale vijver blonk mat in het maanlicht binner
oevers van met zorg gegroepeerde rotsstenen. De pastelkleurige kiezel was keurig aangeharkt langs het smetteloze
tegelpad.

Nu hoorde hij het suizen van de zomerwind en verre ver-
keersgeluiden. Zijn slippers maakten een sloffend geluid of
het tegelpad toen hij naar de marmeren bank bij de vijve
liep. Over de hoge tuinmuur met vastgemetselde glasscher
ven kwam een dor blad van de populier langs de weg aan
waaien. Het belandde geruisloos op het zwarte water en ver
oorzaakte een steeds wijder wordende kring. Dat ene blad
stoorde hem. Hij bukte zich en plukte het uit het water
Terwijl hij dat deed, schoof de laatste nevel weg voor de
maan. Zijn spiegelbeeld verscheen verrassend helder in he

stille wateroppervlak, alsof het ineens boven kwam drijven. Hij schrok. Eerst wist hij niet waarvan. Toen drong het tot hem door dat het spiegelbeeld tegen hem lachte. Een dun tartend lachje.

Wat viel er te lachen? Verbaasd voelde hij naar zijn gezicht. Ja, hij lachte. Of toch niet? Hij keek omlaag en ontmoette zijn eigen verwarde gezichtsuitdrukking. Gênant. Wat mankeerde hem vanavond toch? Geërgerd sloeg hij met zijn vlakke hand op het water, zodat het opspatte. Meteen schaamde hij zich voor zo'n onbeheerst en kinderachtig gebaar. Ontstemd ging hij weer naar binnen en sloot de glazen schuifwand.

Nou ja, het was ook een uitputtende dag geweest. Morgen moest hij weer verder met dat veeleisende hoofdstuk, een studie over aandoeningen van het zenuwstelsel van zoetwatermosselen. Hij geeuwde en rilde. Was hij zonder jas naar buiten gelopen? Mooie manier om een kou te vatten. Hij moest in elk geval maar een kop hete thee drinken voordat hij onder de wol kroop. Eigenlijk had hij meer zin in koffie, maar daar werd je zo wakker van. Hij zette water op en poetste zijn tanden, terwijl hij wachtte tot de thee getrokken was. Daarna ging hij in zijn leren stoel bij de gaskachel zitten, het Chinees porseleinen kopje delicaat in zijn hand. Juist voor hij het eerste slokje nam, zag hij zijn trillende spiegelbeeld verkleind in het kopje.

Weer meende hij dat treiterige lachje te zien. Onzin natuurlijk. Dat moest door de rimpeling komen. Hij had toch eerst op de thee geblazen? Of niet? Waarom wist hij dat nu niet meer? Even staarde hij somber in de goudbruine vloeistof, toen bracht hij het kopje haastig naar zijn mond.

Nee, de avond was geen succes. Waar lag dat nou aan? Dat had hij anders toch ook niet, dat hij overal zijn spiegelbeeld in zag. De gangspiegel, de vijver, en nota bene in een theekopje! Dat was toch te gek. Was hij misschien overwerkt aan het raken? Hij had geen zin meer in een tweede kopje. Mistroostig ging hij naar bed. In het donker lag hij te piekeren over een zin, die hij voor zijn gevoel niet helemaal bevredigend vertaald had. 'Enkele aspecten van de morfologie, ultrastructuur en histrochemie van het zenuwstelsel van de Anadonta Cygnea,' lispelde hij.

Bijna was hij ingeslapen toen hij de zachte voetstap op het grind in zijn tuin hoorde. Hij wilde dieper wegzinken in die weldadige bewusteloosheid, maar de knarsende stappen maakten hem onherroepelijk wakker. Ineens was hij bij zijn volle positieven en lag hij alert te luisteren.

Stilte. Had hij echt iets gehoord?

Knars, knars, de stappen gingen verder over het grind, kwamen dichterbij. Hij lag als verstijfd in zijn bed. Wat moest dat? Er liep iemand in zijn tuin! Hoe kon dat? Het had een vermoeiende briefwisseling met Bouw-en-Woningtoezicht gevergd om vergunning te krijgen voor zo'n hoge muur om zijn tuin. Hij had privacy nodig. En nu . . . Er liep iemand in zijn tuin!

Hij ging rechtop zitten. Verontwaardigd. Maar ook bang. De stappen hielden op voor de glazen schuifwand. Had hij die eigenlijk wel afgesloten? Dat kreeg je als je van je vaste gewoontes afweek, hij ging anders nooit na zonsondergang zijn tuin in. Hij zou het toch niet vergeten hebben!

Hij luisterde zo scherp dat het leek te kraken in zijn hoofd. Stilte. En toen het langzame openschuiven van de glazen wand . . .

Och herejezus! Hij hapte naar adem. Wat moest hij doen?

De voetstappen gingen verder over het parket van zijn zit-kamer, ontzettend langzaam en dreigend. Hij trok de dekens op tot zijn kin en zat te huiveren.

Dit kon toch niet! Hij moest iets doen! Maar hij was niet in staat zich nog te bewegen. Hij staarde onafgebroken naar de deurknop, die hij nauwelijks kon zien in het donker. De stappen hielden stil. Er volgde een moment waaraan geen einde leek te komen, toen hoorde hij de deurknop bewegen. En de deur ging open . . .

Hij wilde gillen maar kon geen geluid maken. Met zijn be-nen hoog opgetrokken, zijn magere knieën bijna tegen zijn kin, schoof hij zo ver mogelijk terug naar het hoofdeinde van zijn bed. Zijn gezicht vertrok in een grimas van onge-loof en afgrijzen. De deur was nu tot op een kier geopend en een witte hand tastte langs de muur en vond de lichtknop. Klik.

Het bedlampje flitste aan. Het was genoeg. Een hoog ge-luidje ontsnapte aan zijn wijdopen mond. De man die de kamer binnenkwam had een gestreepte pyjama aan. Een middelbare, kalende man, op wiens pafferige gezicht een dun lachje verscheen.

Het was alsof hij eens te meer in de spiegel keek.

Die man was hijzelf.

Een bewegend spiegelbeeld. Een spiegelbeeld dat zelf tot leven was gekomen en een eigen, onafhankelijk bestaan leek te leiden. De man staarde naar hem met een koude blik. Toen, terwijl hij allebei zijn handen als klauwen uitstrekte, kwam hij op het bed af . . .

Nu gilde hij en wist vallend, struikelend van het bed af te komen. De man lachte, ging op de bedrand zitten en zwaaide zijn benen er overheen. In één beweging stond hij aan de andere kant. Zijn handen waren onmenselijk sterk. Hij worstelde log en onhandig met de man, maar kon niet verhinderen dat hij langzaam maar zeker de slaapkamer uit werd gesleept, de zitkamer in. En verder . . .

Ze vielen tegen de haard aan, die gelukkig allang koud was, en verbaasd over zichzelf probeerde hij de pook te grijpen. Maar de ander schopte de pook lachend buiten zijn bereik en sleepte hem weer mee, langs de openstaande schuifwand de tuin in.

Al die tijd schreeuwde hij met overslaande stem om hulp. Maar privacy bleek ook zijn nadelen te hebben. Niemand hoorde hem. Nu worstelden ze op het grind. Wat wilde de ander van hem? De ander die hij zelf was! Hij lachte maar, zodat de wangen van zijn pafferige gezicht bibberden. Het litteken opzij van zijn hoofd was bruin en rimpelig als een verdord blad.

Hij verloor zijn evenwicht en begon aan een lange schuiver door het knarsende grind, en de ander volgde hem gniffelend en maakte gebruik van zijn wankele houding door hem een harde duw te geven. Ruggelings tuimelde hij het water in, met zijn belager bovenop hem. De man bleef zich aan hem vastklampen. Hij worstelde hijgend en stikkend om los te komen, maar door het gewicht van de ander verdween hij onder water en toen weer . . . Hij schreeuwde en kreeg water binnen, en nóg lieten de witte handen hem niet los. Zijn rug werd tegen de bodem van de vijver gedrukt. Hij zag de breking van het maanlicht in het bruisende oppervlak en toen het gezicht van de ander, *zijn* gezicht, *zijn* wijdopengesperde ogen. Het dikke hoofd schoof voor de vergrote maan en alles werd donker, en hij voelde zich wegzinken met de laatste verbaasde gedachte: ik adem water!

Hij voelde vóór alles de kilte die door zijn hele lichaam trok en hem bewust maakte van zichzelf. Waarom had hij het zo koud? Hij reikte op de tast naar de dekens en voelde de doorweekte stof van zijn pyjama. Meteen begon hij erbarmelijk te rillen en te hoesten.

Hij opende zijn ogen en zag het maanlicht in de zwarte vijver, een halve meter van zijn gezicht af. Hij lag met zijn wang op het grind en nu, verbaasd, kwam hij overeind. Zijn natte pyjama plakte aan zijn rillende lichaam. Hij bleef even geknield zitten. Langzaam liet hij het besef tot zich doordringen dat hij leefde, dat hij niet verdronken was. Zijn tuin lag stil en verlaten om hem heen. Van een indringer geen spoor.

Hij moest gedroomd hebben. Een nachtmerrie. En natuurlijk had hij geslaapwandeld. Recht de ondiepe vijver in. Hij stond op, beschaamd maar vooral opgelucht. Haastig keerde hij terug naar zijn huis. Een heet bad en dan een kop sterke thee met een slaappoeder, dat was was hij nodig had. Zijn blote voeten maakten natte afdrukken op het parket. Die zou hij morgen moeten wrijven, dacht hij wrevelig. Wat een domme situatie. Hij keek naar zichzelf in de badkamerspiegel terwijl het bad volliep. Zijn spaarzame haren zaten over zijn voorhoofd geplakt. Hij zag er ontdaan uit. Als hij maar geen kou had opgelopen. Een tijdje staarde hij naar zijn witte gezicht. Er was iets . . . Iets dat met die nare

123

droom te maken had. Maar het blééf vaag, als een onafge-maakte gedachte, als een woord waar hij niet op kon komen. Hoofdschuddend stapte hij in zijn dampende badkuip.

Daar kwam een mens van bij, en de sterke thee deed de rest. Hij merkte dat hij slurpte en was bijna vertederd met zichzelf. Zo onbeschaafd! Glimlachend keek hij in het an-tieke kopje en zag in de goudbruine vloeistof zijn spiegel-beeld rimpelen. Hij wachtte tot de rimpeling ophield, roer-loos, het porseleinen kopje in zijn uitgestoken hand. Toen zag hij het duidelijk en verstard bleef hij zitten, terwijl een koude rilling bij zijn tenen begon en langzaam door zijn rug omhoogtrok naar zijn nek. De vloeistof raakte weer in be-weging en het spiegelbeeld vervormde. Maar nu had hij het gezien. Nu wist hij wat er zo vreemd aan het spiegelbeeld was. En langzaam, bevreesd, bracht hij zijn hand omhoog en legde zijn vingertoppen tegen zijn rechterslaap. De huid daar voelde glad aan. Het rimpelige bruine litteken was verdwenen.

Toen legde hij zijn bevende hand tegen zijn linkerslaap. En daar – links – voelde hij het litteken.

Het Chinese porseleinen kopje kletterde in scherven op de tegelvloer.

de geweldenaar

Je kon je niet in hem vergissen nu hij daar rechtop stond, de armen dreigend naar beide kanten uitgestrekt, zijn geliefkoosde houding. Je zag meteen hoe vechtlustig en gevaarlijk hij was, zoals hij zich uitdagend had opgericht en zijn twee slagwapens vol harde stekels zachtjes heen en weer zwaaide, genotvol en zich bewust van het onheilspellende aanblik dat hij bood. Hij was een geweldenaar, een gigant, een moordlustige rover die genoeg had gekregen van het wachten in een hinderlaag en tartend te voorschijn was gekomen voor een lijf aan lijfgevecht.

Je kon je wél in hem vergissen als je hem op andere momenten aantrof, in zijn karakteristieke rusthouding. Dan leek hij een monnik, verzonken in gebed. Het bovenlijf opgericht, het hoofd geheven, de armen ootmoedig gevouwen, zo zat hij dan uren roerloos te staren. O, dan kon je een fatale vergissing maken, als je zijn ware aard niet zou kennen. Dan leek hij een boeteling, die gebogen ging onder al het geweld en bloedvergieten dat om hem heen plaatsvond en met eindeloos gebed iets wilde goedmaken. Tot je binnen zijn bereik kwam, misleid door die deemoedige houding, en hij als het ware explodeerde. Met één sprong wist hij bij je te komen en het laatste wat je zag, was die starre kop van hem, de ogen bol en fanatiek, en de rest bedekt door pantserplaten, onkwetsbaar. Het laatste wat je hoorde, was het ritselen van zijn leerachtige kleed, het dorre schuren van

125

zijn pantsers, en dan het lugubere knarsen van die twee harde wapens, die hij in de beweging van een schaar naar je toezwaaide. Maar je hóefde niet in zijn buurt te komen. Als je hem ontweek, liet hij je passeren. Zelfs op een kleine afstand van zijn uitkijkpost was je al veilig voor hem. Je moest weten wáár precies de grens liep en vooral, je moest leren hóe je hem bijtijds in het oog kon krijgen. Want zijn harnas had de kleur van de grond, een morsig groen als van uitgeslagen koper. En alleen als hij zich triomfantelijk oprichtte, zijn hele lange lijf gestrekt, alleen dan zag je op zijn borst het bladvormige embleem. Dat was ook niet meer wit, maar toch wel lichter van kleur dan de rest. Maar als je dat embleem zag, was het al te laat. Dan had hij je al gegrepen en begon het gruwelijke knarsen.

Nee, je moest leren hoe je hem ondanks die camouflage bijtijds kon onderscheiden. En dat was moeilijk. Roerloos lag hij op de loer, in die misleidende bidhouding, en het groen van gras, struiken en mos maakte dat je niet lette op het groen van oud koper. Lette je daar wél op, dan ging je in een wijde cirkel om hem heen, en hij zou je niet nakomen — dat was zijn stijl niet. Hij had zijn vaste gewoontes en daar week hij niet van af. Hij zat de hele dag op die vaste plek en wachtte op voorbijgangers. Zodra er één binnen zijn bereik kwam, sloeg hij toe. Hij wist heel goed hoe knap gecamoufleerd hij daar zat en hij legde zich er op toe, niet op te vallen. Hij wilde zijn slachtoffers niet achtervolgen, dat lag hem niet en daar was hij ook niet snel genoeg voor. In zijn taaie harnas kon hij zich maar langzaam verplaatsen. Daarom moest hij het hebben van argeloze voorbijgangers, die zijn loerende aanwezigheid niet opmerkten. En voorbijgangers van dat soort waren er genoeg.

In lichte, ruisende feestgewaden kwamen ze langs, in bonte kleuren, in ragfijne en vliesdunne uitmonstering, op weg naar een feest dat altijd wel ergens gehouden werd. Een feest met honingdranken en veldgewassen, spijzen die hij, de geweldenaar, versmaadde. Vlees en vlees alleen was zijn voedsel, en bloed was zijn drank.

O, die dartele voorbijgangers! Ze zongen ieder hun eigen, opgewonden feestlied, vol heerlijke verwachtingen, zodat de wereld ervan gonsde. En hij, hij hield zich stil en wachtte. Ze naderden zijn schuilplaats, huppelend en dansend in hun lichte kleurige gewaden, en haast hadden ze allemaal, alsof het leven niet een eeuwigheid duurde, alsof het feestmaal hen zou ontgaan. En ineens brak hun lied af. Het knarsen van langs elkaar schuivende slagwapens . . . het knerpen van die dodelijke knipschaar . . . en er was weer een feestganger minder.

Niemand waagde het zich aan hem te meten. De roofridder in het bos eiste genadeloos zijn dagelijkse offer, maar de feestgangers deden alsof ze daar geen weet van hadden. Als één van hen verdween, werd er geen navraag gedaan. Het feest ging verder, ongestoord, en dáár kon hij niets aan veranderen. De honingeters, ze beschouwden het blijkbaar als een noodzakelijke tol die ze voor hun feestmaal moesten betalen, en ze probeerden niet hem te verjagen. Hij was nog nooit verslagen. Hij had tegenstanders geveld, groter en sterker dan hij. Hij was een drakendoder. Hij had groene, kruipende monsters vermorzeld in zijn greep en gevederde giganten uit de hemel geplukt als ze op hem neerdoken met hun hoornen bekken gespitst in de aanval. Altijd had hij

127

kans gezien de rollen om te draaien in een treffen met capabele tegenstanders, maar zulke gevechten kwamen zelden voor. En het overvallen van argeloze feestgangers was een dagelijkse zaak.

Vandaar dat hij zich vergiste.

Nu hij eens te meer dreigend te voorschijn sprong, zijn gepantserde armen wijdgespreid, zijn ogen bol en star, gereed om weer een slachtoffer te onthoofden zonder scrupules . . . nu bevroor hij in de aanval. Hij had zich vergist. Een fatale vergissing. Zijn slachtoffer – nog buiten zijn gezichtsveld – had de grens al overschreden en schuifelde langs het schors van stammen, dat zo bedriegelijk veel leek op zijn eigen pantser . . . schuifelde dichterbij, de dodelijke cirkel binnen . . . En nog vóór hij de ander gezien had, sprong de geweldenaar toe.

Het volgende moment rees een formidabele tegenstander voor hem op. De gepantserde armen wijdgespreid . . . Een licht bladvormig embleem op de borst . . . de ogen star en bol van agressie . . . En een luguber knarsen begeleidde de bewegingen, waarmee zijn stekelige slagwapens links en rechts een soort knipgebaar begonnen . . .

Eén moment stonden beide geweldenaars roerloos tegenover elkaar. Eén ademloos ogenblik waarin ze elkaar herkenden – twee van hetzelfde slag, twee gelijken, twee gepantserden – maar toenadering was onmogelijk. Dat lag eenvoudig niet in hun aard. Zoals ze ook geen van beiden de wijk wilde nemen. Een gladiatorengevecht, een duel op leven en dood móest volgen.

Op beide pantsers was het groen morsig van oud bloed. De leerachtige bedekking, die als een vleugel links en rechts van

128

hun schouders neerhing, was van beiden even gehavend en stug na een zomer vol gevechten en slachtingen. Ze waren aan elkaar gewaagd; ze lustten elkaar met huid en haar.

Knarsend naderden de tegenstanders elkaar, niet langer bedacht op de camouflage die het bos zo rijkelijk bood, en tegelijkertijd sprongen ze op elkaar toe. Beiden grepen de ander vast, met de bedoeling hem te onthoofden, en beiden trilden van een razernij die zowel uit woede als uit angst voortkwam . . .

Het kind sloeg toe met haar vlindernet en lachte vrolijk.
'Papa, kom eens kijken wat ik gevangen heb!'
De man boog zich over de twee aan elkaar geklemde, groene diertjes onder het net en zei: 'Bidsprinkhanen. Die eten insekten en zo. Daar heb je toch niets aan voor de les.'

na zeshonderdduizend jaar....

Het water had een troebele kleur gekregen. De koppen van de paarse golven begonnen om te krullen. Witte vlokken schuim waaiden hem in het gezicht. Bewegingloos staarde hij uit over de stormachtige zee, zijn zware oogleden half weggezakt over zijn pupillen. Die waren met een dik hoornachtig vlies bedekt en glansden dof in het late licht. Hij wist wat de onstuimige zee hem zou brengen. Hem en al de anderen, die stonden te wachten langs de kust. Maar waarom vervulde dit hem met zoveel droefheid?
Iets dat hem vreemd en onbekend was, had hem de laatste tijd bekropen, een nieuwe gewaarwording. Hij voelde dat hij langzaam maar zeker overmand werd door iets donkers, iets dat hem traag en onzichtbaar naderde. Hij wachtte berustend, bewegingloos op het strand. Het zand waaide ritselend tegen hem op bij iedere windvlaag en nestelde zich in de diepe kieren en vouwen van zijn grijze huid. Hij wachtte en voelde dat het onbekende dichterbij kwam, zonder dat hij kon ontdekken wat het was. Het bleef vaag en onbegrijpelijk — iets dat nieuw voor hem was na die zeshonderdduizend jaar.

Dr. Travis verbeet zijn ongeduld. Het straalvliegtuig dat hem had overgevlogen naar de lanceerbasis, kon hem al niet vlug genoeg gaan. En nu voelde hij ergernis in plaats van ontzag toen hij de glimmende torenhoge raketten in de verte zag opdoemen. Ineens herinnerde hij zich weer hoe vervelend zo'n ruimtereis eigenlijk was.

Een grote groep journalisten verdrong zich voor de ingang van de vertrekhal. Die moest hij eerst nog afschudden.

'Dr. Travis? Kunt u ons zeggen of uw plotselinge vertrek iets te maken heeft met de laatste ontdekkingen op de planeet Geroeth?'

'Het spijt me. Ik kan niets zeggen.'

'Maar u reist toch naar Geroeth in uw funktie van expert in buitenaardse kulturen, is het niet?'

'Geen kommentaar.'

'Kunt u tenminste bevestigen of ontkennen dat er definitieve bewijzen van een buitenaardse beschaving op Geroeth zijn aangetroffen?' vroeg een TV-verslaggever.

Dr. Travis glimlachte verontschuldigend in de camera en antwoordde: 'Sorry, maar daar kan ik geen antwoord op geven.'

Toen was hij door de menigte heen. Snel glipte hij de tunnel in die naar het wachtende ruimteschip leidde. Hij hoopte dat hij de pers bij zijn terugkeer op aarde meer zou mogen vertellen, want in zijn funktie van voorzitter van de U.S. Geological Survey stootte hij journalisten niet graag voor het hoofd. Bewijzen ... definitieve bewijzen ... die zouden moeten aantonen dat Geroeth ooit bewoond was geweest. Bewijzen van een verdwenen, buitenaardse beschaving die op de planeet waren achtergebleven en nu door toeval ontdekt. Een ingenieur van de uraniummijn, op zoek naar een dolende robotkompel, had de standbeelden als eerste gezien... maar ze niet als zodanig herkend. Hij sprak bij zijn terugkeer over torenhoge monolieten, grijze kolommen van steen die langs de Johnson-zee stonden als vuurtoren-ruïnes.

De Geologische Dienst op Geroeth was er meteen op afgegaan en had één van die granieten zuilen 'afgestoft'. Het resultaat had de geologen de schok van hun leven gegeven. Een monumentaal beeld was te voorschijn gekomen. Er werd een haastig onderzoek ingesteld en men ontdekte dat al die zuilen langs de kust met zand bedekte sculpturen waren. Vanaf dat moment was tot strikte geheimhouding besloten, totdat een expert meer informatie over het hoe en waarom van deze vondst zou kunnen geven.

Dr. Travis, verwend door het personeel van de Astronautische Dienst tijdens zijn lange vlucht naar Geroeth, bladerde door de dokumenten met het rode stempel GEHEIM in zijn koffertje. Telkens weer bekeek hij de foto's die door de Radiofototelegrafische Dienst tot zijn beschikking waren gesteld. Ze toonden hem de beelden van een afstand en van dichtbij, uit alle denkbare hoeken. Op dat ene schoongemaakte beeld na leken ze inderdaad allemaal op grillige zandheuvels. Maar dat ene beeld staarde hem vanaf het glimmende papier aan met een stenen, ondoorgrondelijk gezicht. Op een primitieve en barbaarse manier deed het aan een menselijk gezicht denken, maar het volgende moment leek het de stilering van een platte hondekop of de kop van een uil. Het had ogen, neus en mond en het hoofd was min of meer rond van vorm. De rest van het lange lichaam deed vaag denken aan dat van een mens, ook wel aan een zittende hazewind of een slapende uil. Dr. Travis zuchtte.

Het waren beelden. Dat was het enige dat zeker was. Reusachtige standbeelden, dertig tot zestig meter hoog, in een rij langs de kust van een binnenzee op Geroeth. Beelden die het werk zouden zijn van een beschaafd volk dat de planeet lang geleden bewoond moest hebben.

Juist Geroeth! De planeet die sinds zijn ontdekking door Dr. Johnson in volle belangstelling van de aarde stond, omdat de levensomstandigheden veel met die van de aarde overeenkwamen. Emigratiemogelijkheden leken gunstig en dat was van groot belang nu de mensen elkaar op de tenen trapten uit ruimtegebrek. Geroeth met zijn rijkdom aan mineralen wachtte op de mens, op de ontginners, de plukkers, de bouwers, tenzij . . .

Definitieve bewijzen. Een buitenaards, hoog ontwikkeld ras moest de planeet bewoond hebben. Maar er waren nog geen andere bewijzen van hun bestaan gevonden. Langdurige bewoning moest méér sporen achtergelaten hebben, zoals de mensheid haar sporen op aarde had achtergelaten.

Maar van het onbekende buitenaardse ras was nog nooit eerder iets gevonden dan de standbeelden langs de kust van de Johnson-zee. De onmetelijke rij van giganten die, met hun stenen gezichten naar de zee gekeerd, waakten over het raadsel van hun bestaan.

Eenmaal op de planeet Geroeth deed Dr. Travis de ene verbazende ontdekking na de andere. Al na een oppervlakkig onderzoek kon hij geschokt vaststellen dat de beelden zeshonderdduizend jaar oud moesten zijn. Dat betekende dat ze daar geplaatst waren toen de mens nog nauwelijks op zijn achterste benen liep. Het gaf de eigendunk van de tweeëntwintigste-eeuwse mens wel een knauw.

De beelden waren vervaardigd uit een soort steen, harder dan graniet. Veel van de kolossen waren gedeeltelijk weggezakt in het zand, anderen stonden op hardere grond maar waren in de loop van honderden eeuwen bedekt met schimmels en mossen. Het vreemde was dat op de hele planeet

Geroeth verder geen scherf werd aangetroffen van de steen-
soort waaruit deze beelden waren gehakt – een mogelijk be-
wijs dat ze getransporteerd zouden zijn van een andere
planeet. Maar dat was absoluut onvoorstelbaar. Zo'n zeshonderdduizend jaar geleden, toen de aardse beschaving
nog niet eens bestond, zou een onbekend volk deze giganten
door de ruimte vervoerd hebben! Maar, en dat was nog
fantastischer, dan zouden ze gekomen moeten zijn van verre
planeten, uit een ander zonnestelsel – want alle nabije planeten waren door de Astronautische Verkenningsdienst
onderzocht en daar was van enig intelligent leven nu of
vroeger niets gebleken.
Ondanks de hardheid van het materiaal van de beelden,
besloot Dr. Travis om hoe dan ook een monster te bemachtigen, als het moest door middel van een neutronstraal, en
dit mee te nemen naar de aarde. Met dat besluit sliep hij die
eerste nacht op de planeet Geroeth uitgeput in. Buiten de
stalen koepel waarin de aardbewoners op deze vreemde planeet zich veilig wisten, begon het nu echt te spoken. Hevige
windvlagen uit het binnenland loeiden over de landingsbaan
en de temperatuur daalde tot ver onder het nulpunt.

Hij was ontroerd. Zoals altijd wanneer de binnenzee op-
standig werd, zodat haar golven over het strand sloegen en
om zijn voeten spoelden met een ver en vertederend bruisen.
Hij wist, zoals ook de anderen wisten, waarom de zee eenmaal in de zoveel tijd uit haar doen raakte. Hij had het
eerder meegemaakt, maar het vervulde hem altijd weer met
dezelfde ontroering.
Na vannacht zou het water weer kalmeren. Alles zou weer

als voorheen worden. Maar dan – hij voelde het – zou hij er geen getuige meer van zijn. Zijn tijd was gekomen. Vannacht zou hij sterven. De binnenzee kwam hem halen. Hij zou terugkeren in haar diepte waaruit hij eens, een leven geleden, gekomen was. Met een zachtmoedige droefenis schikte hij zich daarin. Zijn plaats zou worden ingenomen. Zonder ooit overleg te hebben gepleegd met de anderen wist hij dat dit de gang van zaken was, de orde der dingen. Hij wachtte. Na zeshonderdduizend jaar was hij bereid plaats te maken voor een nieuw leven. Toen de hoge golven, bruisend door de geulen die ze in het zand gesleept hadden, een vormeloze klomp tegen zijn voeten rolden, verwelkomde hij die in alle oprechtheid. Het leek een samengeknede massa van harde modder, cementachtig en taai, maar het bewóóg. Gelijk met de eerste, nog zachte beweging, daar in de diepte tegen zijn voeten aan, voelde hij de eerste barst in zijn dikke huid springen.

Hij ging het begeven. Hij ging bezwijken. Even was hij diep bedroefd, want het was toch wel iets, zo'n kwetsbare plek na zeshonderdduizend jaar van eeltvorming, verstening, groeiende onkwetsbaarheid. Toen glimlachte hij onder de stenen buitenlaag van zijn gezicht, en de volgende barst volgde de lijn van die weemoedige lach. Vlokken schuim haakten vast in de ruwe randen van die ontstane scheur en de regen verzamelde zich in de gapende holte van zijn mond. De nog weke klomp aan zijn voeten trilde bij iedere wind- vlaag, maar de zee trok zich nog niet terug. Telkens rolden de golven de ronde massa tegen zijn voeten aan, totdat de rubberachtige buitenkant ervan openbarstte en een herken- bare vorm zich ontvouwde – een hoofd, een lang lichaam, rudimentaire armen en benen. Krachteloos nog, een en al huivering, maar toch al doelbewust, begon de vorm zich op te richten. Hij voelde het bewegen tegen zijn benen aan, terwijl nu over zijn hele gigantische lichaam scheuren ontstonden. Langzaam en knarsend begon hij te hellen.

Terwijl de rubberachtige cementkleurige massa in de koude wind leek te verharden tot een miniatuur van hemzelf, voelde hij dat hij langzaam heen en weer schudde. Een zwabberende toren waarvan nu hele brokken losraakten en omlaag stortten. Toen begon hij te kantelen. In zijn dreunende val kon hij niet vermijden dat hij zijn opvolger schampte, maar dat was niet erg – diens jonge lichaam was nog veerkrachtig genoeg. De taaie korrelige buitenlaag zou de groei niet belemmeren, maar na een korte tijd – een eeuw of zo – zou die poreuze huid verharden tot een granietlaag. Dan werd iedere beweging, iedere emotie, daarbinnen weggesloten en zou het langzame, duizendjarige sterven beginnen, totdat er nog maar een sliertje leven over was in dat fossiel. Dan, gewaarschuwd door een geheimzinnig iets, zou de zee weer buiten haar oevers treden om een plaatsvervanger te brengen. En de gestorvene opeisen.

Hij brak aan duizend stukken op het strand en de zee stroomde binnen. In losse fragmenten werd hij meegevoerd, steeds verder uiteenvallend, totdat het slechts gruis was dat de golven meespoelden. Toen trok de zee zich terug achter de vloedlijn. En op de plaats waar hij zeshonderdduizend jaar gestaan had, verhief zich nu een nieuwe gestalte, identiek aan hem, een ware opvolger wiens gezicht stolde tot een uitdrukkingsloos masker.

Een nieuwe bewoner van Geroeth.

Build a fire
just big enough
to glow –
then sit and look.

G. DRESBACH

het wachten

Op die ochtend kwamen de vijftig overlevenden van het volk Kwe plechtig uit hun takkenhutten. De mannen volgden het voorbeeld van de oude sjamaan Sangoe, namen ieder een brandende tak uit het vuur en staken daarmee hun hutten in brand. In die hutten bevond zich hun hele bezit, alles wat de families in de loop van vele generaties verzameld en bewaard hadden. Veel was het niet, want vluchtelingen moeten overal wel iets achterlaten en deze mensen waren sinds mensenheugenis op de vlucht. Klein, en vredelievend van aard, hadden ze zich laten verdringen van hun vroegere woonplaatsen, eerst door de krijgshaftige Bantoes, later door de Hottentotten, en weer later door de blanken. Nu woonden ze aan de rand van de Kalahari-woestijn, hun laatste toevluchtsoord. Ook daar zouden ze niet blijven, maar ditmaal trokken ze weg uit vrije verkiezing.

De hutten, niet veel meer dan windschermen, stonden weldra als laaiende fakkels om hen heen. De rook bleef boven de verzamelde families hangen. Kinderen huilden omdat ze niet begrepen waarom ze hun speelgoed niet mochten meenemen. Alles moest achterblijven, had Sangoe gezegd, en dus werd er niets uit de vlammen gered. Niets. Geen aarden potten, geen bogen en pijlkokers, geen uitgeholde watermeloenen gevuld met oliehoudende zaden, geen matten van gevlochten gras, geen bewerkte huiden van gemsbok of hyena. Alles werd verzengd door de vlammen. De vonken waaiden met de rook mee de lege woestijn binnen.

De overlevenden van het volk Kwe keken naar de brandende hutten, hun enige onderdak in een vijandige wereld. Maar
hun gezichten stonden niet somber of wanhopig, nee, hun
geplooide platte gezichten hadden een onaardse glans. Want
het volk Kwe was geroepen. Het wilde niets meenemen uit
dit voorbije en armelijke bestaan; het wilde naakt en vol
vertrouwen een nieuw en onbekend bestaan tegemoet treden.
Moeders troostten hun kleuters met gefluisterde beloftes.
Toen schaarden allen zich in een rij en zo trokken de overlevenden weg uit hun laatste woonplaats, de woestijn in.
Hun sjamaan liep voorop, klein en gebogen. De zon gaf zijn
witte kroeshaar een zilveren glans. Hij tuurde met glinste-
rende ogen voor zich uit, prevelde nu en dan iets onver-
staanbaars en glimlachte vaak. Zijn naakte voeten maakten
een dor swif-swaf geluid in het harde zand.

Het volk Kwe behoorde tot een oude geïsoleerde familie
van Bosjesmannen. Sangoe, de sjamaan, herinnerde zich nog
wel dat de stam eens bijna duizend man telde; maar nu
waren het er nog maar vijftig en hun aantal nam eerder af
dan toe. De grote vogel was dan ook maar nét op tijd gekomen, dat was duidelijk.

Nu zou aan al hun ontbering weldra een eind komen. En
voorgoed. Het volk Kwe was geroepen. Het zou vertrekken
naar een oord waar altijd genoeg te eten was, waar overal
water uit de grond opwelde, waar herten zo talrijk waren als
grashalmen. De tekenen konden niet misverstaan worden.
Sangoe had de anderen alles verklaard, maar dat was eigenlijk overbodig geweest. Vanaf het plotselinge verschijnen
van de grote vogel hadden ze het allemaal meteen begrepen.

De grote vogel was gekomen om hen te halen. Zover als de herinnering terugging was dat nog nooit eerder gebeurd. Zeker, met regelmaat zagen ze de grote vogel hoog aan de hemel overvliegen, met een ver en indrukwekkend gebrom als van een gigantisch insekt. Er verscheen een witte streep in de helblauwe lucht, gevolgd door een gierend geluid, en verdwenen was de grote vogel weer, op weg naar andere volken natuurlijk. Zij waren nog niet aan de beurt. Zij moesten wachten. Maar nu was de grote vogel voor hén gekomen.

Sangoe had lang geleden eens een vreemdeling ontmoet, een man met een witte huid en ogen die de kleur van leisteen hadden, en hij vertelde later wat hij uit de mond van de vreemdeling gehoord had. Het was de taak van de grote vogel om mensen naar verre plaatsen te brengen.

De vreemdeling was een opziener van het nabij gelegen Kalahari Gemsbok Nationale Park geweest, die de taal van Kung een beetje machtig bleek. Hij was ver van zijn domein afgedwaald en Sangoe, die de taal van Kung ook een beetje kon verstaan, wees de man de weg terug – zo ver als hij gaan wilde, uit vrees voor de Hottentotten. Onderweg had de vreemdeling uitleg gegeven over veel zaken. Toen de grote vogel overvloog, bijna onzichtbaar, had de man vol verlangen omhoog gestaard en gezegd: 'Een grote vogel? Jazeker. En nog éven wachten, dan brengt hij me terug naar de mooiste plek op de hele aarde. Nog één jaar, dan brengt hij me regelrecht naar het geluk. Versta je dat? Je begrijpt me niet, hè? Die grote vogel van jou, die brengt me weg uit dit stinkende rotland, voorgoed, en ik laat alles achter; niets neem ik mee. Ik wil vergeten dat ik hier ooit geweest ben;

141

het was een vergissing.'

Inderdaad had Sangoe weinig van die woordenstroom begrepen, behalve dan dat de grote vogel mensen wegbracht naar een gelukkiger oord. De verlangende toon waarop de vreemdeling sprak had diepe indruk op hem gemaakt. Vaak vertelde hij zijn volk van die man en sindsdien keken ze vanuit de dorre diepte van de woestijn met heel andere ogen omhoog naar de grote vogel op zijn snelle gelukbrengende vlucht.

De grote vogel haalde je weg uit een bestaan vol ontbering en droeg je naar de mooiste plek op aarde. Maar als hij je kwam halen, mocht je niets meenemen. Alles moest je achterlaten. Ja, zó moest het wel zijn, dat was vanzelfsprekend. Als je geroepen werd, moest je een offer kunnen brengen. De nacht dat de grote vogel neerdaalde om hén te halen, zouden ze nooit vergeten. Een oorverdovend lawaai als van onweer had hen gewaarschuwd en doodsbang hadden ze de grote vogel zien opdagen. Zó laag had hij nooit eerder gevlogen. Zijn staart was een vlam, zijn puntige vleugels hield hij stijf gestrekt, en zó schoot hij brullend over hun dorp heen, rakelings over de hutten, en verdween in de nacht. En meteen hadden ze de klap gehoord, die de aarde deed trillen. De grote gelukbrengende vogel was gedaald. Vlakbij. Het kon niet anders of hij was voor hén gekomen.

De volgende ochtend was Sangoe alleen op pad gegaan en toen hij terugkwam was iedereen die vreemde glans op zijn gezicht opgevallen. Wat had hij gezien? 'De grote vogel wacht,' was alles wat hij wilde zeggen.

Die nacht hadden de mannen vergaderd en was het besluit gevallen: ze zouden alles achterlaten en gáán.

Nu werd halt gehouden bij de laatste bron. Een oude man moest met moeite gedwongen worden zijn houten drinknap weg te gooien, die hij meegesmokkeld had. Maar het was voor zijn bestwil, al begreep hij dat niet helemaal. Daarna trokken ze dieper de woestijn in, de ogen bijna gesloten tegen de hete wind. En eindelijk, toen de zon al rood boven de doornbosjes stond, zagen ze in de verte de wachtende grote vogel.

Ze waren allemaal diep onder de indruk en durfden eerst niet dichterbij te komen. Zo groot en zo schitterend in het late licht hurkte de grote vogel daar, half op een dubbelgevouwen vleugel geleund. Hij bewoog niet, zelfs geen trilling, en de wind floot langs de punt van zijn andere vleugel die hoog in de lucht stak. In plaats van een verendek bezat de grote vogel een harde huid, die geheimzinnig aanvoelde. En in die huid was een grote opening. Je kon erdoor naar binnen kijken, in zijn buik.

Sangoe als eerste waagde het, trillend van hoofd tot voeten, door dat gat naar binnen te klimmen. Omdat de grote vogel opzij leunde moest hij voorzichtig verder gaan, die donkere buik binnen. En toen nam hij sprakeloos plaats op een soort zetel van gelooide huid. Er waren nog veel meer zetels, en o wonder, hoe wijs van de grote vogel, toen ze allemaal stil en plechtig hadden plaatsgenomen, waren alle zetels bezet. Sangoe en het volk Kwe zaten nu in een lange dubbele rij in het neergestorte vliegtuig, dat leeg naar Pretoria was vertrokken om mijnwerkers voor hun vakantie op te halen en waarvan de piloot zich met een parachute allang in veiligheid had gebracht. Het vliegtuig leunde op een gebroken vleugel en door de uitgebrande neus waaide zand naar binnen. De laatste overlevenden van het volk Kwe sloten hun ogen tot spleetjes tegen dat zand en staarden door de ronde raampjes naar de duistere woestijn. Heel in de verte verdween de zon als een rode streep. Sangoe knikte de anderen bemoedigend toe. De kleuters vielen van uitputting al gauw in slaap en de volwassenen zaten waakzaam rechtop, met glanzende ogen.

Zo begon het wachten.